Usos amorosos
de la postguerra española

Carmen Martín Gaite

Usos amorosos
de la postguerra española

EDITORIAL ANAGRAMA

BARCELONA

De 1984 a 1986, la autora recibió una beca de la Fundación March como ayuda para su investigación sobre este tema.

Ilustración: Conrad Roset

Primera edición en «Argumentos»: mayo 1987
Primera edición en «Compactos»: abril 1994
Decimoctava edición en «Compactos»: mayo 2017

Diseño de la colección: Julio Vivas y Estudio A

ISBN: 978-84-339-7820-2
Depósito Legal: B. 8889-2017

Printed in Spain

Liberdúplex, S. L. U., ctra. BV 2249, km 7,4 - Polígono Torrentfondo
08791 Sant Llorenç d'Hortons

El día 30 de marzo de 1987, un jurado compuesto por Salvador Clotas, Román Gubern, Xavier Rubert de Ventós, Fernando Savater y el editor Jorge Herralde, otorgó el XV Premio Anagrama de Ensayo a la obra *Usos amorosos de la postguerra española*, de Carmen Martín Gaite.

Para todas las mujeres españolas, entre cincuenta y sesenta años, que no entienden a sus hijos. Y para sus hijos, que no las entienden a ellas.

INTRODUCCIÓN

Siempre que el hombre ha dirigido su interés hacia cualquier época del pasado y ha tratado de orientarse en ella, como quien se abre camino a tientas por una habitación oscura, se ha sentido un tanto insatisfecho en su curiosidad con los datos que le proporcionan las reseñas de batallas, contiendas religiosas, gestiones diplomáticas, motines, precios del trigo o cambios de dinastía, por muy convincente y bien ordenada que se le ofrezca la crónica de estos acontecimientos fluctuantes. Y se ha preguntado en algún momento: «Pero bueno, esa gente que iba a la guerra, que se aglomeraba en las iglesias y en las manifestaciones, ¿cómo era en realidad?, ¿cómo se relacionaba y se vestía, qué echaba de menos, con arreglo a qué cánones se amaba? Y sobre todo, ¿cuáles eran las normas que presidían su educación?»

Preguntas de este tipo fueron las que me llevaron a hurgar, ya hace quince años, en textos menores del siglo XVIII español (prensa periódica, sermonarios, edictos, correspondencia privada, libros de memorias) y a centrarme, persiguiendo la moda del «cortejo», en el tema del amor entre hombres y mujeres.

En 1972, la editorial Siglo XXI publicaba la primera edición de mi trabajo *Usos amorosos del dieciocho en España,* que con otro título más académico había presentado en junio de ese mismo año como tesis doctoral en la Universidad de Madrid. Poco después, y alentada por la buena acogida que tuvo aquella monografía, que algunos amigos me comentaron haber leído «como una novela», empecé a reflexionar sobre la relación que tiene la historia con las historias y a pensar que, si había conseguido dar un tratamiento

11

de novela a aquel material extraído de los archivos, también podía intentar un experimento al revés: es decir, aplicar un criterio de monografía histórica al material que, por proceder del archivo de mi propia memoria, otras veces había elaborado en forma de novela. De todas maneras, una visita a las hemerotecas, en busca de textos y comentarios para estudiar con rigor los usos amorosos de la postguerra española, se me planteaba como un complemento inexcusable de mis recuerdos personales.

A raíz de la muerte del general Franco, empecé a consultar esporádicamente algunos periódicos y revistas de los años cuarenta y cincuenta, pero sin tener todavía una idea muy precisa de cómo enfocar un asunto que inevitablemente me tentaba más como divagación literaria que como investigación histórica. En esta primera etapa, cuando estaba bastante más interesada en la búsqueda de un tono adecuado para contar todo aquello que en el análisis y la ordenación de los textos iba encontrando, se me cruzó la ocurrencia de una nueva novela, *El cuarto de atrás*, que en cierto modo se apoderaba del proyecto en ciernes y lo invalidaba, rescatándolo ya abiertamente para el campo de la literatura. Por lo menos eso fue lo que me dije a mí misma a medida que la escribía, y mucho más cuando la vi terminada en 1978.

Pero hace unos tres años, con ocasión de revisar apuntes atrasados a ver lo que tiraba y lo que no, la vieja idea de escribir un ensayo sobre los amores de la inmediata postguerra volvió a resucitar con el mismo entusiasmo inicial, presentándose a mi imaginación como una cuenta pendiente.

El término «postguerra española» es muy discutible. Para los que no consideren cerrada esa etapa –y están en su perfecto derecho de hacerlo– hasta la muerte del general Franco, mi trabajo no constituirá más que el fragmento inicial de una crónica mucho más amplia. Yo también lo tomo así, como arranque de una historia que tal vez algún día siga contando. Aclararé de momento brevemente por qué me he centrado de preferencia en los usos amorosos de mi generación.

Al concluir la guerra civil española, yo tenía trece años; y toda la década siguiente –durante la cual pasé de niña a mujer, empecé a «alternar» con personas del sexo contrario y terminé mi carrera de Letras en Salamanca– estuvo marcada por una condena del despilfarro. La propaganda oficial, encargada de hacer acatar las normas de conducta que al Gobierno y a la Iglesia le parecían convenientes para sacar adelante aquel período de convalecencia, insistía en los peligros de entregarse a cualquier exceso o derroche. Y desde los púlpitos, la prensa, la radio y las aulas de la Sección Femenina se predicaba la moderación. Los tres años de guerra habían abierto una sima entre la etapa de la República, pródiga en novedades, reivindicaciones y fermentos de todo tipo, y los umbrales de este túnel de duración imprevisible por el que la gente empezaba a adentrarse, alertada por múltiples cautelas.

Prohibido mirar hacia atrás. La guerra había terminado. Se censuraba cualquier comentario que pusiera de manifiesto su huella, de por sí bien evidente, en tantas familias mutiladas, tantos suburbios miserables, pueblos arrasados, prisioneros abarrotando las cárceles, exilio, represalias y economía maltrecha. Una retórica mesiánica y triunfal, empeñada en minimizar las secuelas de aquella catástrofe, entonaba himnos al porvenir. Habían vencido los buenos. Había quedado redimido el país. Ahora, en la tarea de reconstruirlo moral y materialmente, teníamos que colaborar con orgullo todos los que quisiéramos merecer el nombre de españoles. Y para que esta tarea fuera eficaz, lo más importante era el ahorro, tanto de dinero como de energías: guardarlo todo, no desperdiciar, no exhibir, no gastar saliva en protestas ni críticas baldías, reservarse, tragar.

Las consignas que durante la guerra habían instado al ciudadano de la retaguardia a apretarse el cinturón se materializaron ahora en dos palabras clave: «restricción» y «racionamiento».

Ningún niño de aquel tiempo podrá olvidar el cariz de milagro que adquiría una merienda de pan y chocolate ni el gesto meticuloso y grave de sus padres cuando cortaban los cupones de la cartilla del racionamiento, como tampoco los frecuentes apagones que les obligaban a hacer sus deberes del instituto a la luz de una vela o aquella urgencia de las madres por llenar bañeras y barreños cuando se anunciaba un inminente corte en el suministro de agua. Aun cuando estas restricciones de agua, luz, carbón y alimentos fueran desapareciendo poco a poco, dejaron

13

unas secuelas muy hondas de encogimiento y tacañería, que los rectores de la moral imperante supieron aprovechar para sus fines. Las palabras restricción y racionamiento sufrieron un desplazamiento semántico, pasando a abonar otros campos, como el de la relación entre hombres y mujeres, donde también constituía una amenaza terrible dar alas al derroche. Restringir y racionar siguieron siendo vocablos clave, admoniciones agazapadas en la trastienda de todas las conductas.

A la sombra de esta doctrina restrictiva, fuimos creciendo los niños y niñas nacidos antes de la guerra civil, aprendiendo de mejor o peor gana a racionar las energías que pudieran desembocar en la consecución de un placer inmediato. Despilfarrar aquellas energías juveniles, a cuya naturaleza no se podía aludir tampoco más que mediante eufemismos, se consideraba el gasto más pernicioso de todos, el más condenado. Eran energías que había que reservar para apuntalar la familia, institución gravemente cuarteada tras las turbulencias de la contienda reciente, pilar fundamental sobre el que había de asentarse ahora el nuevo Estado español.

Tratar de entender cómo se interpretaron y vivieron realmente estas consignas y hasta qué punto condicionaron los usos amorosos de la gente de mi edad y su posterior comportamiento como padres y madres de familia es el objeto del presente trabajo. Abarcaré en él un período de más o menos quince años, aunque a veces traiga a colación testimonios posteriores, unas veces para marcar diferencias y otras, por el contrario, para dejar de manifiesto lo arraigadas que habían quedado aquellas costumbres, a despecho de algunos cambios aparentes.

En octubre de 1953 me casé, según el rito católico, en la iglesia de San José de Madrid. Un mes antes había tenido lugar la firma del primer convenio entre España y los Estados Unidos de América, con el que se iniciaba el primer cambio en la política económica de nuestro país, propiciando el desarrollo del turismo y una tímida apertura en cuestiones culturales y religiosas. A medida que transcurría la década de los cincuenta e iba desapareciendo la penuria de la inmediata postguerra, se notaba también un cambio en la mentalidad de los nuevos adolescentes, aquellos para quienes la mención a la guerra civil empezaba ya a ser una aburrida monserga. Y como consecuencia fueron otros también –o al menos pretendieron serlo– sus usos amorosos y su forma de plantarle cara a la vida. Lo cual no quiere decir, ni mucho menos, que las cuestiones de fondo cambien así por las buenas de una década a otra, ni que a las mujeres quince años más jóvenes que yo tenga por qué sonarles a chino nada de lo que aquí se cuente. Pero ellas y sus novios se conocieron en una época de incipiente desarrollo industrial, donde lo corriente era hablar de prosperidad y consumo más que de sacrificio y ahorro. Y qué duda cabe de que eso influye.

El presente trabajo, para el que llevo tomando notas desde 1975, como queda dicho, verá la luz –si es que llega a verla– gracias a una ayuda de la Fundación March, que me ha permitido investigar sistemáticamente durante los últimos dos años en la Hemeroteca Municipal de Madrid.

Precisamente hoy, 20 de noviembre de 1985, cuando estoy redactando este prólogo en el apartamento de una universidad americana, se cumple el décimo aniversario de la muerte del general Franco. Ya ha llovido y se ha secado el barro. Existiendo, como ya existen ahora, tantos estudios sociológicos y económicos, crónicas literarias, análisis, libros de memorias y novelas sobre el tema de la inmediata postguerra, se preguntará el lector que qué me mueve a mí, a estas alturas de la década de los ochenta, a hurgar en un asunto tan manoseado y sobre el que todo parece estar dicho. Y sin embargo, nadie que emprenda un trabajo, a despecho de tales reflexiones, puede dejar de pensar que lo que él va a decir no está dicho todavía, simplemente porque nadie lo ha dicho de esa manera, desde ese punto de vista.

Reconozco que es una arrogancia y una tozudez, pero el vicio de escribir siempre se alimenta, en última instancia, de esos dos defectos.

Vassar College, Poughkeepsie,
20 de noviembre de 1985

I. BENDITO ATRASO

> Yo envío una bendición especialísima a las familias de los mártires españoles. De España ha salido la salvación del mundo.[1]

Con estas palabras, escritas en abril de 1939, recién concluida nuestra guerra civil, Eugenio Pacelli se convertía en el primer soporte ideológico del régimen de Franco.

Nacido en 1876, de familia de juristas y diplomáticos, hacía solamente un mes que había accedido al Papado con el nombre de Pío XII, justamente cuando las tropas autodenominadas «nacionales» estaban ya a las puertas de Madrid, y su caudillo, el general Francisco Franco Bahamonde, a punto de agarrar las riendas del país para no soltarlas en mucho tiempo. La simultánea ascensión al poder del burgués romano y del militar gallego (dieciséis años más joven) me parece una coincidencia simbólica, que muy bien puede servir de pórtico para entrar en la etapa de la historia española cuyas costumbres quiero analizar.

La verdad es que pronto empezaron a llevarse peor y a desconfiar uno de otro, pero era una verdad que en aquel tiempo se filtraba, como todas, veladamente; y ni se creía ni se dejaba de creer.

Todos los comentarios a la política, a las enfermedades venéreas, a las ejecuciones capitales, a los negocios sucios o a la miseria del país eran velados y clandestinos, y a lo sumo afloraban de repente en algún chiste de humor negro inventado por sabe

Dios qué oscuro oficinista. El nuevo Régimen había establecido como norma:

> ... la obediencia, el cuidado de no murmurar, de no concedernos la licencia de apostillar... La fórmula es esta: el silencio entusiasta.[2]

O sea, sospecháramos lo que sospecháramos, impasible el ademán. Al fin y al cabo, no se tenían datos seguros más que para la conjetura y el encogerse de hombros. Si las relaciones del jefe de la Iglesia con el jefe del Estado no eran transparentes –como no lo fueron las de Franco con nadie–, allá ellos desde sus respectivas alturas.

Fuera como fuera, aquellas primeras declaraciones de amor de Pacelli, que se siguieron citando en los años siguientes, como el que alimenta la validez de un idilio releyendo cartas atrasadas, habían dado pie sobrado al general español para que tanto él como sus propagandistas explotaran hasta la náusea la cantinela de que España, aquel país de donde había salido la salvación del mundo, era una nación elegida, excepcional, diferente. El Papa, infalible por definición, lo había escrito. Y lo escrito, escrito queda.

> La nación elegida por Dios como principal instrumento de evangelización del nuevo mundo y baluarte inexpugnable de la fe católica acaba de dar a los precursores del ateísmo materialista de nuestro siglo la prueba más excelsa de que, por encima de todo, están los valores de la Religión y del espíritu.[3]

Los altibajos posteriores de aquella comunidad de intereses entre Franco y el Vaticano podrían compararse a las sordas desavenencias conyugales de tantos matrimonios de la época, condenados a aguantarse mutuamente y cuyas relaciones, nacidas al calor de un entusiasmo retórico y fugaz, estaban basadas en el desconocimiento del aliado.

Es bien sabido que Franco era, sobre todo, un militar ambicioso, decidido y sin escrúpulos de conciencia, para quien no existía mayor infierno que la indisciplina ni mayor enemigo que el que no se plegase incondicionalmente a su autoridad. Hijo de un militar de poco relieve y conducta algo disoluta, al que nunca quiso parecerse, y de una madre anodina y resignada, a la que siempre veneró como modelo de mujeres, jamás se le conoció más pasión que la del mando absoluto. Ni pasiones de la carne, ni pasiones del espíritu. Sus biógrafos destacan, unos con admiración y otros con reticencia, el hecho de que hubiera aplazado por dos veces su boda con una señorita ovetense, de mejor familia que la suya, requerido por exigencias del servicio a la Patria. Sabía esperar. Nunca se ponía nervioso.

> Carece de nervios. No se queja de nada[4] —*declaró años más tarde aquella señorita, Carmen Polo, convertida ya en su santa esposa.*

Elogio más bien soso, pero sin duda verídico.

De pasión religiosa o inquietudes espirituales tampoco había dado la menor señal antes de llegar al poder. Se decía, por el contrario, que era tibio y poco amigo de curas; y el código de valores que había aprendido de joven en las campañas de Marruecos distaba mucho de ser el de un príncipe cristiano. Pero desde que se puso al mando de las tropas rebeldes, comprendió claramente que, si ganaba la guerra y se convertía en el primer mandatario del país, su régimen solo podría arraigar y popularizarse asociándolo con el concepto de «españolidad» que los republicanos habían traicionado, al beber su ideología en fuentes de «ateísmo materialista» importadas del extranjero. La verdadera España la representaba él. Más todavía: era él mismo.

> ¿Quién se ha metido en las entrañas de España como Franco —*clamaba ya en 1938 el exaltado Giménez Caballero*—, hasta el punto de no saber ya si Franco es España o si España es Franco?[5]

Por ahí, por esa identificación con la esencia de España, era por donde convenía insistir —y se insistió hasta el delirio— para echar los cimientos del pedestal sobre el que se afirmaría el Generalísimo de los Ejércitos, cada vez más seguro de su estrella, de su misión redentora.

> Nuestra revolución –*dijo en un discurso de 1945*– hizo posible la vuelta de España a su verdadero ser.[6]

Pero no se trataba solamente del ser, sino también del parecer. A España la habían violado los rojos al injertarle costumbres y vestirla con atuendos que «no le iban». Era preciso renovar su faz buscando la inspiración en modas tradicionales, resucitando su famosa peculiaridad.

> Hemos de hacernos el traje a nuestra medida, español y castizo –*dijo en las Cortes españolas en 1943*–; que si el régimen liberal y de partidos puede servir al complejo de otras naciones, para los españoles ha demostrado ser el más demoledor de los sistemas.[7]

Ya tendremos ocasión de ver más adelante la importancia que se daba a la apariencia exterior, y hasta qué punto la decencia en el vestir se interpretaba como síntoma de españolidad. Pero, aunque la frase citada no pase de ser una metáfora, mirando las revistas de la época saca uno la consecuencia de que aquel traje castizo que devolvía a España su verdadero ser era una mezcla de bata de lunares y sotana de cura. Pero sobre todo esto último.

Franco, consciente del apoyo incalculable que podía prestarle la Iglesia en una coyuntura como aquella, había decidido echarse en sus brazos, siempre que ella, a su vez, le rindiera ciega pleitesía. El 20 de mayo de 1939, recién terminada la guerra, ofrendó la espada de la Victoria al cardenal Gomá, quien agradeció con sentidas palabras aquel «gesto nobilísimo de cristiana edificación», mientras el cardenal Eijo Garay, presente en el solemne acto, declaraba, con el botafumeiro en la mano:

> Nunca he incensado con tanta satisfacción como lo hago con Su Excelencia.[8]

Así se iniciaban los bombos mutuos y los mutuos inciensos de aquel incipiente idilio entre Franco y sus obispos, que si bien se mira tenía algo de escandaloso, como todo favor comprado. Porque la Iglesia española iba a recibir un tratamiento privilegiado como en pocas etapas de su historia, a cambio de que el poder público, aun declarando de manera ostentosa seguir sus directrices paternales, impusiera una condición: la de que no ocupase sede episcopal alguna un solo obispo sospechoso de abrigar tendencias opuestas al Régimen.[9]

No parece que esta megalomanía e injerencia en asuntos de competencia ajena hiciera mucha gracia al nuncio Cicognani ni al propio Pacelli, que de hecho no reconoció abiertamente el régimen de Franco hasta el Concordato de 25 de agosto de 1953, es decir, más o menos cuando termina el plazo que nos hemos marcado para esta historia. Temeroso de que el Estado español, en nombre de su tan decantada peculiaridad, estuviese mangoneando la doctrina de Cristo de un modo también demasiado peculiar, debió arrepentirse más de una vez de haberle dado alas a aquel gallego más papista que el Papa, y que parecía más dispuesto a capitalizar su bendición inicial que a dejar de hacer lo que le viniera en gana o a renunciar al lujo de desfilar bajo palio.

La censura oficial, de todas maneras, corría un tupido velo sobre aquellas presuntas desavenencias entre Eugenio y Francisco, del mismo modo que los confesores ordenaban el más celoso silencio sobre los problemas conyugales de sus penitentes femeninas. Había que guardar las apariencias para no dar al traste con la estabilidad de las instituciones intocables. Si el marido engañaba a la mujer, con tal de que lo hiciera sin demasiado escándalo y de tapadillo, lo mejor era hacer como si nada, que no se enterara nadie, para que los hijos pudieran seguir viendo a sus padres aliados en lo esencial, en la tarea de sacarlos adelante a ellos, de enseñarles a amar la España nueva, de prohibirles cosas. El padre junto a la madre como un bloque indestructible ante el cual se estrellaba cualquier actitud que no fuera la del respeto.

De la misma manera había que mirar a Franco y al Papa. Encadenados uno a otro, apoyándose mutuamente en aquella cruzada del espíritu contra la materia, mediante cuya exaltación se pretendía inducir a las nuevas generaciones a soportar cualquier revés y aceptar cualquier cruz con sana alegría. Se llevaran bien o no, tenían que dar ejemplo a sus hijos. Y nunca llegaron al divorcio. El divorcio no existía. Era cosa de rojos.

Durante la época que voy a estudiar, sus retratos aparecían con frecuencia uno cerca de otro en aulas, sacristías y despachos, en el *ABC,* en el cuarto de estar de muchas casas. Crecimos bajo la vigilancia de aquellos dos rostros, el del casquete blanco y el del bigotito, donde no puede decirse que anidaran precisamente la ternura, la compasión ni la fantasía. Miradas de alerta y severidad, acechando el más leve desmán contra la indisciplina.

> Que el niño perciba que la vida es milicia, o sea, disciplina, sacrificio, lucha y austeridad.[10]

Y el niño lo percibía, ya lo creo. Percibía en casa, en la calle y en la escuela una atmósfera tensa, un clima de encogimiento que coartaba la espontaneidad. Además, por mucho silencio entusiasta que se predicara, nadie podía dejar de reconocer que casi todo el mundo pasaba hambre. Y que no había carbón, ni gasolina.

Es bien sabido que aquellos años, llamados triunfales, fueron de gran penuria económica, de rigurosas sequías, de bajos jornales agrícolas, de falta de vivienda para la gente que emigraba del campo a la ciudad, de mal funcionamiento de los servicios públicos.

Y además de aislamiento político. Porque en ninguno de los países rectores del nuevo orden mundial se miraba con simpatía la dictadura del general Franco, y mucho menos a partir de la derrota de las fuerzas del Eje. Pero él se crecía y lo achacaba a envidia. Muy de marchamo español también, por otra parte, esa exhibición de desdén olímpico hacia lo que los demás puedan pensar de uno.

> A España se la ha hostilizado siempre que ha resurgido, desde los tiempos de Felipe II..., y cuanto más se ha levantado, cuanto más independiente se ha hecho, cuanto más enérgicamente se ha extirpado un cáncer o una enfermedad que la corroía, más ha crecido contra España la hostilidad de fuera.[11]

Frente al espejuelo de riqueza y «modernidad» de aquellos otros países que nos despreciaban, se levantaba el banderín de la tradición autóctona. Después de todo, de ellos no había salido la Salvación del mundo, como del nuestro... Y se acudía a la Historia para refrendar el destino de «rompeolas europeo» de que se jactaba ahora la España «nueva». Aunque para buscar las fuentes de tal «novedad» hubiera que remontarse a los godos. Que era precisamente lo que más se hacía.

> Desde luego, sin petulancia, tal vez podamos decir los españoles que Europa nos debe la vida. Porque España fue el rompeolas europeo donde quebró su ímpetu la más formidable amenaza que vieron los siglos: la marea islámica.[12]

Desde la Reconquista para acá, todo habían sido glorias y triunfos del Imperio español hasta el siglo XVIII, que es cuando habían empezado a entrar en la Península los vientos antiheroicos y burgueses del progreso material, cuya culminación se situaba en el ateísmo de cuño extranjero implantado por la reciente República, de triste memoria. Enterrar el pasado reciente y exaltar el pasado remoto fue una de las más inquebrantables consignas de la España de Franco. No había estudiante de bachillerato, por escasa que fuera su aplicación, que no conociera las efigies y gestas de don Pelayo, Isabel la Católica o Felipe II, pero de Jovellanos, Campomanes y la generación del 98 podía no tener ni idea, a no ser que perteneciera a una familia de cierta cultura. Después de todo, daba igual. En los libros de texto oficiales, a partir del siglo XVIII los capítulos estaban escritos como por cumplir, apenas traían dibujos y ya se sabía que eran «paja», lecciones que muy raramente podían tocar en un examen. Nuestra auténtica tradición había que buscarla mucho más atrás, en aquellos personajes de mirada febril «mitad monje y mitad soldado» con la cruz y la espada en ristre, al acoso y derribo de herejes. Ellos nos tenían que servir de ejemplo. Parecía como si todos los males se curasen con la mención a aquellas antiguallas. Los niños de postguerra, que lo que queríamos era ir al cine o que nos compraran una bicicleta, estábamos hartos de la vida sacrificada, vigilante y viril de aquellos hirsutos antepasados, cuyas hazañas estudiábamos al calor del precario brasero familiar y que no guardaban relación ninguna con nuestros latentes anhelos de cariño, aventura y bienestar.

Pero Franco lo había dicho en enero de 1942:

> No hemos venido a regalarnos con la vida ni a disfrutar de esa paz que muchos burgueses aman.[13]

Ni a él ni a los ideólogos del nuevo Régimen, que al principio vivieron de prestado de la retórica falangista, se les ocurría ahondar en la contradicción existente entre la austeridad que predicaban y el escandaloso florecimiento del estraperlo, la prostitución y los negocios sucios, acaparados por unos cuantos vivales que conducían coches ostentosos apodados «haigas», manipulaban los permisos de importación y «fumaban a todo pasto Philip Morris», como se cantaba en una revista musical de la época. El español medio, escindido entre las imposiciones de la moral pública y el ejemplo creciente de aquellos pescadores en río revuelto, que medraban como la espuma, aguantaba cansino un bombardeo de prédicas sobre la vida heroica de los pueblos viriles, más interesadas en legitimar la Cruzada frente a sus detractores que en hacer justicia social o dar facilidades para que la gente de carne y hueso que había sobrevivido a la catástrofe fuera un poco menos infeliz. Buscar la felicidad se consideraba un propósito deleznable.

> Escuchamos con frecuencia a personas que no pertenecen a nuestra generación la alusión a formas de vida que nada tienen que ver con el espíritu de la Falange. Hablan con nostalgia de «tiempos fáciles», de «tranquilidad», de «abundancia», de «bienestar». Los falangistas no sentimos hoy nostalgia de bienestar material, ni mucho menos de aquella triste época de la vida fácil.[14]

A través de este jeroglífico solo para iniciados, donde lo fácil se identificaba con lo triste, se iba abriendo paso trabajosamente una noción aproximativa del tipo de alegría que teníamos que cultivar los jóvenes de la España nueva, conforme a nuestras peculiaridades raciales. Se trataba de una alegría tensa, sublime y como atormentada, algo muy «sui generis». Con música de himno quedaba bonito, pero ¿quién podía identificarse con aquello a la hora de la merienda?

Repasando las publicaciones de la época, cuajadas de adjetivos como impasible, viril, señero, altivo, entusiasta, pujante, augusto e imperial, salta a la vista su ineficacia como catecismo de aplicación concreta para un pueblo con las heridas en carne viva, harto de descalabros y ansioso de consuelo, que difícilmente podía sentirse aplacado por aquella palabrería y mucho menos reflejado en ella.

> El retoricismo y superficialidad de aquellas composiciones –*escribiría años más tarde Dionisio Ridruejo, refiriéndose a las suyas propias*– no trasluce en ningún momento experiencia viva, y más parece aludir a cosas ocurridas en el país de los sueños que a furias, dolores y esperanzas encarnizadas en un pueblo real.[15]

Este escamoteo de la experiencia viva, sustituida por la mención a cosas que parecían ocurridas en el país de los sueños, es una de las claves más importantes para entender también el desconcierto y la ceguera con que la mayoría de los jóvenes de ambos sexos llegaban al matrimonio, como luego veremos.

Todas las perplejidades de quien no estuviera dispuesto a comulgar con ruedas de molino derivaban de aquella esquizofrenia entre lo que se decía que pasaba y lo que pasaba de verdad, entre lo que se imponía y lo que se necesitaba.

Se imponía, por encima de todo, la definición de un estilo de vida propio y que resultara convincente. Pero ya vamos viendo que aquel atuendo de estilo español para muchos resultaba un disfraz incómodo. La palabra «estilo», pronunciada y escrita por entonces hasta la saciedad, era un concepto en perpetua búsqueda de su propia definición, vocablo prestigioso con unas resonancias aristocráticas que intentaban concederle un valor «per se», como un guiño dirigido a halagar los bajos instintos de las clases acomodadas, invitadas a la participación y al ascenso al sentirse imbuidas de su misión ejemplificadora.

> Cuando hablamos de una época sin estilo, como los tiempos de esa segunda república fenecida, queremos decir que su estilo no llegó a formarse por falta de espíritu, parándose en caótica confusión.[16]

A la falta de espíritu remitía, en última instancia, toda condena. Ya había pasado la hora de las alternativas y de las disidencias, de no conformarse cada cual sin rechistar con lo que le toque, con lo que le mande Dios. La vida fácil había resultado ser una indecencia. Y ante la sospecha de que volviera a retoñar, al Gobierno se le hacían los dedos huéspedes.

> Una de las cosas que fundamentalmente nos deben preocupar en la hora que vivimos es esta: el cambio de estilo. Hay que tener una preocupación: la de estar todos, de por vida, implicados en el afán de que no retoñen los estilos viejos. Nada de lo que se practicaba hace tres años es ya posible, es un estilo que se suicidó con el arma de su propia indecencia. Lo que hay que cuidar, más que una resurrección imposible, es el riesgo de que se instalen costumbres que en el futuro pudieran crear una atmósfera semejante.[17]

La atmósfera proscrita en este texto aludía, sin embargo, a un pasado demasiado reciente como para que la evocación de sus modas y costumbres no provocara en las mentes juveniles cierta añoranza al compararla con la atmósfera actual, más estática y como más «antigua» que la otra. ¿Por qué llamaban viejos a aquellos estilos y nuevos a estos? Los chicos y chicas de postguerra, fuera cual fuera la ideología de sus padres, habían vivido una infancia de imágenes más movidas y heterogéneas, donde junto a la abuela con devocionario y mantilla de toda la vida, aparecían otra clase de mujeres, desde la miliciana hasta la «vamp», pasando por la investigadora que sale con una beca al extranjero y la que da mítines. Las habían visto retratadas en revistas, fumando con las piernas cruzadas, conduciendo un coche o mirando bacterias por un microscopio. Habían oído hablar de huelgas, de disputas en el Parlamento, de emancipación, de enseñanza laica, de divorcio; sabían que no todos los periódicos decían lo mismo, que no todas las personas pensaban lo mismo y también, claro está, que a uno cuando fuera mayor le sería posible elegir entre aquellas teorías distintas que hacían discutir tanto a la gente, y entre aquellos tipos de mujer, para imitarlo, si se era una niña, o, para casarse con ella, si se era un niño. Ahora esos estilos «viejos» se habían quedado para los países sin fe, donde soplaba, según expresión del Papa, *un aire malsano de paganismo renacido, que tendía a engendrar e introducir una amplia paridad de las actividades de la mujer con las del hombre.*[18]

Esos vientos de paganismo renacido venían, como casi todo lo malo, del extranjero. Y la mujer que los bebiese o soñase con beberlos no merecía el nombre de española. Ni más ni menos. Lo cual no quiere decir que algunas no soñasen con beberlos.

La mujer de España, por española, es ya católica –*leemos en un texto de la época*–... Y hoy, cuando el mundo se estremece en un torbellino guerrero en el que se diluyen insensiblemente la moral y la prudencia, es un consuelo tener a la vista la imagen «antigua y siempre nueva» *(el entrecomillado es mío)* de esas mujeres españolas comedidas, hacendosas y discretas. No hay que dejarse engañar por ese otro tipo de mujer que florece en el clima propicio de nuestra polifacética sociedad, esa fémina ansiosa de «snobismo» que adora lo extravagante y se perece por lo extranjero. Tal tipo nada tiene que ver con la mujer española y, todo lo más, es la traducción deplorable de un modelo nada digno de imitar.[19]

Dotar de novedad, es decir vender como moderno, aquel tipo de mujer tradicional antigua y siempre nueva es tarea a la que se dedicó incansablemente la propaganda de la época, en un empeño, no siempre coronado por el éxito, de hacerlo competir ventajosamente con otros modelos de conducta no tan fáciles de extirpar y por los que se seguían pereciendo algunas féminas «ansiosas de snobismo». Se gastó mucha tinta en tomar el pulso a la sorda contienda entablada entre los estilos heredados de la República y los impuestos por el franquismo, tomando como foco más sintomático del sondeo el comportamiento de la mujer, ya que ella había de ser el puntal y el espejo de futuras familias. Y, según la mayoría de las declaraciones, no había graves motivos de preocupación. A finales de la década de los cuarenta, España seguía teniendo fama de dar mujeres «muy mujeres».

> He viajado bastante, conozco toda América –*declara María Teresa Casanova en una entrevista*–, y creo sinceramente que donde la mujer se conserva más mujer es aquí. No en vano pertenece a un pueblo donde todo es tradición.[20]

Aunque resulta un tanto esquivo a la definición este concepto de la mujer muy mujer, lo cierto es que su adjudicación suponía un gran elogio. En una semblanza de 1950 sobre la esposa del Generalísimo, se la definía ante todo como «muy mujer». A lo largo del texto, el lector busca datos que justifiquen tal atribución, y todos los que encuentra se relacionan con la actitud pasiva y el espíritu de sacrificio:

> Tenía solamente catorce años cuando murió su madre, y siendo la mayor de las chicas, naturalmente correspondió a ella el cuidado de sus hermanas más jóvenes, de su hermano mayor y de su padre. Estaba cuidando de ellos cuando Franco, aún solo comandante, llegó a Oviedo en comisión de servicio. Franco fue su primer novio y también el único. Se casaron cuando ella tenía veintitrés años.[21]

No creo que para las féminas ansiosas de snobismo significaran acicate alguno los méritos de esta borrosa provinciana, que ni siquiera convertida en la primera dama de España dio nunca muestras de interés real por ninguna cuestión social o política, mera figura decorativa que se limitaba a sonreír, mucho, a recibir a señoras de luto y a ponerse collares.

No. Los modelos «nada dignos de imitar» que solivianta-
ban a las jóvenes de postguerra con ansias de modernismo no
venían de El Pardo, evidentemente. Los proponía, sobre todo,
Norteamérica, en muchos de cuyos estados la mujer había conseguido el voto electoral y se jactaba de tener iguales derechos
que el hombre.

Y con esto llegamos al quid de la cuestión, que explayaré más
detenidamente en otros capítulos de este trabajo. Creo que es imposible entender los usos amorosos de la primera postguerra sin
tener en cuenta la mezcla de fascinación y rechazo que despertaba en la España del estraperlo y del racionamiento el progreso
económico de aquella nación, contra la que existían tantos prejuicios pero que, al fin y a la postre, nos iban a sacar de pobres y
a arrancarnos, con el traje de lunares, la careta de detentores ex-
clusivos de la verdad y de la fe.

A principios de la década de los cincuenta, cuando ya se estaban dando pasos para la luna de miel con los Estados Unidos,
cuya caricatura plasmó Luis G. Berlanga en su famosa película *Bienvenido, míster Marshall,* Carlton Hayes, exembajador de
aquel país en el nuestro, deseoso de limar asperezas, reconocía
así la mala imagen que uno seguía teniendo del otro:

> Existen en España –decía– ignorancia y prejuicios acerca de
> la vida y el pensamiento de los Estados Unidos. La mayoría
> de los españoles se inclinan a juzgar a los americanos a través de
> las películas inmorales de Hollywood o las jactanciosas emi-
> siones de la propaganda radiada de Nueva York, y llegan a la
> conclusión de que somos toscos, materialistas o bárbaros inci-
> vilizados. Envidian nuestra maquinaria, nuestros automóviles
> y nuestro progreso material, pero alimentan sospechas respec-
> to a nuestros objetivos y a nuestro poder... La ignorancia po-
> pular y prejuicios existentes en los Estados Unidos acerca de
> España es sencillamente colosal... La minoría que entre noso-
> tros trata de simpatizar con España lo hace probablemente de
> una manera romántica. La gran mayoría se contenta con acep-
> tar los viejos estereotipos y slogans de la intolerancia, atraso y
> crueldad de los españoles.[22]

El arraigo de estos estereotipos allende las fronteras era fruto de una «leyenda negra», que se escribía sin embargo con la complicidad de la parte denigrada. A lo largo de los años cuarenta, nuestro país, tercamente encastillado en la altivez de sentirse diferente, y proclamando a los cuatro vientos que no necesitaba limosna de ateos y masones, aunque se estuviera muriendo de hambre, daba poco pie a relaciones cordiales. En algunos textos de entonces, la jactancia del «pobres pero honrados» adquiere tonos fanáticos, mitad de esperpento, mitad de rabieta infantil:

> Que sea español nuestro amigo y nuestro criado y nuestra novia, que sean españoles nuestros hijos. Que no haya sobre la bendita tierra de España otras costumbres que las nuestras. Y si esto es un feroz nacionalismo, pues mejor. Y si el que defiende esto es un absurdo retrógrado, pues mucho mejor. No queremos el progreso, el romántico y liberal, capitalista y burgués, judío, protestante, ateo y masón progreso yanqui. Preferimos el atraso de España, nuestro atraso, el que nos lleva a considerar que ante unos valores fundamentales deben sacrificarse los intereses materiales... Bendito nuestro atraso que nos hace considerar el Matrimonio como un sacramento que no es cosa de juego; bendito nuestro atraso para el que el Amor no ha de tomarse a broma, sino como una aventura honda en la que hay que fundamentar nuestro futuro ... que nos lleva a considerar la familia como una sociedad jerarquizada en que los padres tienen el deber de educar a sus hijos al servicio de Dios y de la Patria, y los hijos no tienen derecho a vivir su vida, sino a que su vida sirva para algo.[23]

Aunque un sector del país donde se escribían artículos como este pudiera avergonzarse de leerlos, se seguían escribiendo con el beneplácito del Gobierno, incluso cuando ya estábamos a punto de pactar con el oro yanqui, por muy judío, ateo y masón que fuera. Eran como los coletazos de un camaleón herido. Hoy, al revolver en las hemerotecas, llama la atención la falta de cautela con que se insultaba a un país cuyo primer mandatario, el presidente Eisenhower, había de desfilar pocos años más tarde por las calles de Madrid junto al general Franco, entre un delirio de vítores y banderas.

Veamos ahora la imagen que, por su parte, tenía de nuestro bendito atraso el corresponsal del *New York Post* en Madrid por los años cuarenta:

> La posición de la mujer española está hoy como en la Edad Media. Franco le arrebató los derechos civiles y la mujer española no puede poseer propiedades ni incluso, cuando muere el marido, heredarle, ya que la herencia pasa a los hijos varones o al pariente varón más próximo. No puede frecuentar los sitios públicos en compañía de un hombre, si no es su marido, y después, cuando está casada, el marido la saca raramente del hogar. Tampoco puede tener empleos públicos y, aunque no sé si existe alguna ley contra ello, yo todavía no he visto a ninguna mujer en España conduciendo automóviles.[24]

Se trataba, en definitiva, de la oposición entre dos mundos y dos morales. Norteamérica, país en progresiva expansión económica, llevaba años elaborando mitos de bienestar e independencia que exportaba a Europa, principalmente a través de su boyante industria cinematográfica. El foco de fascinación mundial, que en las primeras décadas del siglo XX emanaba de Francia y dictaba la moda desde la «Ville Lumière», se había ido desplazando a la antorcha de la estatua de la Libertad. Más o menos a partir de 1925, fecha en la que, según un escritor español:

> ... los viejos pueblos deciden adoptar el ritmo norteamericano y bailan al son de su música. Son años en que la propia Europa cae dentro de la mentalidad de América, que ejerce así a través de su cinematografía el más poderoso imperio mental que haya tenido el mundo. La juventud de todos los países se deja ir alegremente. Es como un nuevo descubrimiento de tierras donde acuden todas las imaginaciones decididas a prosperar.[25]

Por eso, mientras nuestra imaginación, en vez de decidirse a prosperar, se siguiera empleando en desempolvar la lista de los re-

31

yes godos y en bendecir el atraso, no había mayor bestia negra que los Estados Unidos. Se descalificaba un progreso como el yanqui porque no estaba al servicio de la Idea, sino basado en el dinero.

Una escritora de la época comentaba con escándalo haber conocido a una joven americana de dieciocho años que lucía sobre el escote una moneda de oro colgando de una cadenita:

> ¡Una moneda de oro en el lugar donde las muchachas de nuestra Patria llevan las imágenes que más veneran! ... Nosotros, los exportadores de ideales, los que conquistamos tierras para fecundarlas de Fe, los que vivimos al servicio de la Idea y sabemos morir por ella, no podemos entender una mentalidad de la que es heraldo una moneda de oro colocada sobre el corazón.[26]

Pero había que reconocerlo: el «made in USA» era mucho más atractivo para un amplio sector de la juventud que los modelos de comportamiento basados en el aguante y la austeridad, por muy castizos que nos los quisieran presentar. Y había que estar en guardia, no cejar en los sermones. Porque casi todo lo que se escribía en la prensa por los años cuarenta, tratara de cine, de modas o de decoración de interiores, tenía tono de sermón.

> El «made in USA» es un atentado a lo nuestro: ricos o pobres por la gracia de Dios... Norteamérica no ha propagado francamente una idea nacional o religiosa. Ha existido en algunos sectores de la juventud europea un entusiasmo peligroso por la vida o el cine de Norteamérica..., acompañado siempre de un desprecio por lo propio y hondo de nosotros... El mimetismo es el primer paso para la disolución de una Patria.[27]

Aquel mimetismo se reflejaba en las costumbres y se inmiscuía en el lenguaje. En mayo de 1940, se prohibió *el uso innovador y deformante de vocablos extranjeros en marcas, rótulos, frases y escritos,* por considerar que suponían *desollamientos en la piel española.* Tales atentados, normalmente perpetrados por Francia, nos invadían ahora también desde América, por si no fuera bastante –decía el mismo texto– *nuestro servilismo intelectual hacia el país del brioche y del bidet.* Se invitaba a rechazar semejantes neologismos.

> ... para que no infesten con amapolas ociosas los trigales del idioma vigilante y erecto desde la atalaya de su nido secular.[28]

El rechazo era mayor cuando el neologismo invadía un campo de tradición autóctona, como por ejemplo el de las fiestas navideñas. A mediados de la década estaba totalmente implantada la denominación de «crismas» para las tarjetas de felicitación de Pascuas, sustituyendo, según se quejaba un texto

> ... a las viejas décimas con que los gremios de la ciudad deseaban a nuestros abuelos el holgorio de estos días.[29]

Y en ciertos hogares, el árbol de Navidad suplantaba al belén de toda la vida.

> Ceremonias paganas –decía un artículo– de una Navidad con árboles de cartón y canciones de «music hall»... Un Papá Noel con una botella de «wiskey» bajo el faldón y apareciendo tras una chimenea es lo más opuesto a la interpretación recogida e infantil de esta augusta noche, que supieron describir en estrofas inmortales los mejores poetas de la Cristiandad.[30]

Difícil era, como se comprobaría años más tarde, detener la avalancha de aquellos influjos perniciosos para nuestras costumbres tradicionales. Principalmente porque toda aquella fatigosa palabrería trataba en vano de enmascarar la cuestión esencial, que era de tipo económico. Nuestra ambivalente actitud hacia los Estados Unidos descubre que, bajo las diatribas y condenas de tipo moralista con que España juzgaba a aquel país tachado de frívolo, latía el resentimiento con que siempre han mirado los pobres a los ricos.

Esto se notaba más que nada en los asuntos donde de verdad entraba en juego el dinero, como era la industria cinematográfica.

Por mucho que, de acuerdo con la mayoría de los testimonios, lo más urgente fuera darle al cine español

> ... una nueva orientación más acorde con nuestra cultura y nuestra tradición..., con nuestra moral y con nuestro concepto de la familia...,[31]

la verdad era que no resultaba un negocio productivo. Y algunas voces sensatas se atrevieron a delatarlo:

> Sin disimulos timoratos, rotundamente, hemos de afirmar que la producción española se halla en el más trágico desamparo... Las limitaciones con que la industria topa y en las que encuentra su mayor dificultad de desarrollo radican en la incomprensión y escasez de arrestos de la gran industria, en la mediocridad con que la producción se realiza y en la falta de expansión que en el mercado encuentra.[32]

Pero generalmente se escamoteaba la raíz de la cuestión o se aludía a ella de pasada, quitándole importancia.

> Que el cine produzca millones y la gente sueñe con ellos importa tan poco para la pureza del cine... como importa para el toreo que sea una lucrativa profesión ... Tampoco que el cine mejor –o el más propagado– sea el yanqui quiere decir nada definitivo ... El cinema americano da siempre ese buen consejo, que es observar la preponderancia del enemigo para hallar la raíz de su éxito y derrotarlo con sus propias armas.[33]

La conclusión final resulta sorprendente. Difícilmente iba a poder luchar con las mismas armas Cifesa que la Metro Goldwyn Mayer ni Josita Hernán que Katharine Hepburn, y la prueba está en el escaso éxito taquillera que tenían las películas españolas.

Eso sí, constituían un género sin imitación posible; se reconocía a la legua aquel marchamo del «bendito atraso» que logró caracterizar todos los usos y manifestaciones culturales del país durante la década de los cuarenta. Ya solo con mirar las carteleras, donde se veían rostros varoniles y austeros enmarcados por una golilla o tocados con gorra militar, gitanas risueñas con peineta y mantoncillo, reinas a caballo o almibaradas burguesitas de escote honesto, la aventura que suponía entrar en el cine se descargaba casi automáticamente de intensidad y se convertía en una especie de visita familiar de cumplido. Los jóvenes de postguerra sabíamos muy bien que una película española o nos iba a contar una historia heroica de las que venían en los libros de texto o nos iba a ensalzar las delicias de un amor sacrificado y decente. Los propios actores españoles eran muy decentes en su vida privada y nunca hacían declaraciones estrepitosas de modernidad. Y esto solía destacarse como un índice más de nuestra superioridad moral.

Hablando, por ejemplo, de Aurora Bautista, una revista de la época comenta con orgullo:

> En otros países más vocados al sensacionalismo de la propaganda ya se habrían escrito acerca de nuestra actriz libros enteros llenos de aventuras imposibles, de sucesos conmovedores, de episodios tremendos, de agitación y de lucha. Pero la más famosa de nuestras estrellas tiene una vida real sencilla, en la que lo único importante reside en la poesía de las pequeñas cosas tiernas y vulgares, de los recuerdos infantiles, que sería desdeñada por los elaboradores de biografías de cualquier estudio extranjero.[34]

La maldad o la frivolidad que pudieran darse en algunos personajes de película española se justificaban siempre en nombre del redoblado brillo de ejemplaridad que adquiría, por contraste, la conducta contraria. En una conferencia que Ana Mariscal pronunció en Valencia titulada «La actriz católica y el cine», se preguntaba:

> ¿Una actriz debe rechazar un papel porque deba encarnar una mala mujer, frívola o de malos sentimientos? Yo creo que no. Si acierta a dar a su papel toda la negrura, toda la tristeza y desamparo que acompañan a tales personajes, servirá para resaltar el bien que le es ajeno. Será a modo de contrapunto, que ensalce las virtudes que otros representan.[35]

Se llegó a decir, y creo que con todo acierto, que nuestros actores manifestaban *una manera de ser nacional obsesionada por la trascendencia*.[36] Pero, claro, es que ya era mucha trascendencia la que nos predicaban por todas partes para que además, en los ratos de asueto, tuviéramos que verla reflejada en los rostros de Alfredo Mayo o de Manuel Luna, ya hicieran de juez, de alférez de complemento o de caballero de capa y espada.

Frente a otros países más avanzados por su tecnología o su riqueza, nosotros no teníamos más baza que la de seguir siendo siempre españoles, que consistía más que nada en decir una y otra vez que no queríamos parecernos a nadie.

El cine español debe renunciar a todo intento de emulación de cualquier cinematografía extranjera buscando inspiración en temas exóticos. El triunfo se hallará por la ruta de la personalidad. Nuestro cine debe estar empapado del paisaje, de la emoción y del perfume de España en su más noble valoración artística.[37]

En la cinematografía, como en todo, España estaba orgullosa de ser diferente.

II. EN BUSCA DE COBIJO

Mucho antes de que a una jovencita le llegara la edad de «echarse novio», ya había anidado en su mente una noción muy clara, aunque también algo inquietante por lo que entrañaba de disyuntiva, de decisión personal para su futuro: si no tenía vocación de monja, quedarse soltera suponía una perspectiva más bien desagradable, «desairada».

No es que se entendiera muy bien en qué consistía tener vocación de monja, pero en los libros donde se narraban las vidas de los santos podían encontrarse algunas pistas que ayudaban a situar aquel fenómeno en el terreno de lo excepcional y misterioso. Era algo así como una llamada que venía de lo alto y a la que no se podía desobedecer. Parecido al flechazo del amor. Un momento sublime. No importaba que luego, una vez alcanzada aquella meta, las monjas de carne y hueso que uno conocía se hubieran convertido en una grey rutinaria y más bien poco atractiva. Tampoco los padres y las madres se parecían ya mucho, en general, a los novios que fueron y cuya mirada intensa, soñadora y fogosa quedó inmortalizada en alguna foto de las que a veces aparecían en el baúl de los recuerdos. La vida era así. Sobre todos los momentos sublimes llovía, con el tiempo, la prosa de la cotidianeidad. Pero el recuerdo del momento sublime quedaba intacto en las almas.

A la jovencita que tenía vocación de monja se le permitía quedarse abstraída y mirar con sonrisa mortificada y superior a los que se atrevieran a discutir su decisión irrevocable. Siempre encontraba apoyo para salirse con la suya porque, en definitiva, se trataba de una decisión prestigiosa. La única que a una muchacha de postguerra le permitía, con el consenso de la sociedad, desobedecer. Aunque dejara a un novio con el corazón partido, como lo dejó la hija de don Juan Alba, inmortalizada por una copla del tiempo, de las más bonitas, por cierto.

> La hija de don Juan Alba
> dicen que quiere meterse a monja
> en el convento chiquito
> de la calle la Paloma.
> Dicen que el novio no quiere,
> dicen que a ella no le importa,
> que se está bordando un traje
> blanco como el de una novia.

Luego, en la segunda parte de la copla, cuando la señorita Alba ya había ingresado en el convento de la calle la Paloma, el novio deambulaba de noche bajo la luna y se le escuchaba cantar llorando (llorando, ay madre) por las calles que antaño recorrieran juntos:

> En lo alto de la ermita
> ya no me espera, ya no me espera,
> porque se ha metido a monja,
> la que más quiero,
> mi compañera.

El tema de la jovencita que se metía a monja, renunciando a los placeres del mundo mediante la ofrenda simbólica de su mata de pelo, se exaltaba como algo grandioso y digno de narración. No en vano uno de los poetas románticos más leídos por las adolescentes del tiempo, Gustavo Adolfo Bécquer, le había dedicado en sus *Leyendas* un cuento titulado «Tres fechas», que arrancaba las lágrimas. En una palabra, tener vocación era una noción confusa, pero también por eso mismo romántica. Y sobre todo llevaba implícita una decisión. La que se metía monja lo hacía porque le daba la gana. Y además la gente no hablaba mal de ella, ni se burlaba, ni la compadecía. Los padres o el novio podían llorar porque la echaban de menos. Pero más bien se la admiraba.

¿Pasaba lo mismo con las solteras? Evidentemente no. De las mujeres de la familia, del servicio doméstico, amigas o vecinas a quienes se les había pasado o se les estaba pasando «la edad de casarse», los adultos hablaban con una mezcla de piedad y desdén. Incluso se las condenaba de antemano, como si algunas hubieran nacido ya marcadas por aquel estigma. «Esa se queda para vestir santos. Y si no, al tiempo. Lo lleva escrito en la cara.» Generalmente, más que a una descarada fealdad, se aludía a un gesto, a una actitud. La que «iba para solterona» solía ser detectada por cierta intemperancia de carácter, por su intransigencia o por su inconformismo. Analizar las cosas con crudeza o satíricamente no parecía muy aconsejable para la chica que quisiera «sacar novio». Se les pedía ingenuidad, credulidad, fe ciega.

> Tienes un peligro –*se avisaba a una de estas chicas «descreídas»*–; si con la gente eres tan sarcástica, tan cruda como lo has sido en tu carta, si a cada uno lo examinas a través de la lente de la desconfianza, haciéndoles ver que no crees nada de lo que te dicen, terminarás por convertirte en una persona amargada, recelosa, desagradable, que espantará a todo el mundo.[1]

De las chicas poco sociables o displicentes, que no se ponían a dar saltos de alegría cuando las invitaban a un «guateque», descuidaban su arreglo personal y se aburrían hablando de novios y de trapos se decía que eran «raras», que tenían «un carácter raro».

> No me gusta que te encierres en tu casa a piedra y lodo, pues aunque reconozco que es muy difícil para una persona inteligente tener que hablar siempre de tonterías, tampoco te conviene a tu edad aislarte por completo del mundo, pues eso te irá haciendo un carácter raro y te puede perjudicar enormemente.[2]

El lenguaje popular, que es muy sabio, había acuñado una expresión que a mí me hizo mucha gracia cuando la oí por primera vez en la Salamanca de mi juventud, aplicada a una de aquellas chicas poco sociables. «Déjala. No le gusta salir. Es más rara que las monjas.» O sea, que se daba por supuesto que las monjas eran raras. Pero más raro era parecerse a ellas sin tener vocación de monja. Ni vocación de nada. Eso era simplemente inaceptable.

Por los años cuarenta, cuando nadie entre las personas que yo conocía había leído a Freud ni se había banalizado el psicoanálisis, empezó sin embargo a circular como moneda corriente una expresión que aludía globalmente a todas las torturas incomprensibles del alma: «tener complejos». La complejidad, como la rareza, no eran bien recibidas en una sociedad que pretendía zanjar todos los problemas tortuosos y escamotear todas las ruinas bajo un código de normas entusiastas. El psicoanálisis, donde se prestaba atención a todo aquel «galimatías de los complejos», era algo extravagante que se comentaba con desdén, como el existencialismo y demás frivolidades decadentes que se gestaban en París:

> Acaba de celebrarse en París –*decía un texto de 1950*– el Primer Congreso Internacional de Psiquiatría. Allí, a orillas del Sena, entre escapada y escapada a Saint-Germain-des-Prés para ver qué es eso del existencialismo en su propia salsa, las mayores eminencias mundiales de la Psicopatología han cambiado impresiones sobre todo ese galimatías de los complejos, el subconsciente y demás cosillas, que tienen casi casi convertido al mundo en una casa de orates.[3]

El término «complejos» se aplicaba también a algunas películas de argumento inquietante que empezaron a llegar por entonces a nuestras pantallas y que solían ser desaconsejadas como gravemente peligrosas. En las películas «de complejos» los protagonistas se comportaban de un modo raro, sufrían oscuros e inconfesados tormentos y, de rechazo, hacían sufrir a los demás mediante sutiles coacciones psicológicas. La más famosa fue *Luz de gas,* interpretada por Ingrid Bergman y Charles Boyer. Se caracterizaban aquellas historias porque nunca era uno muy capaz de resumir su argumento.

«¿De qué trata?», preguntaban a veces las amigas. «¿Te ha gustado?» «A mí, sí. Pero no sé, vete a verla... Es de complejos.» «Pues, hija, si es de complejos no voy. A mí las de complejos no me gustan.»

Tampoco a los hombres les gustaban las chicas con complejos. Eran incómodas. Se salían de la norma. Los complejos de un hombre, en cambio, podían ser más dignos de atención y análisis, como veremos en su lugar oportuno. Daban pábulo a que la mujer, nacida para consolar, tratara de entenderlos y hasta se sintiera atraída por el muchacho que los padecía. Pero a la chica casadera de postguerra no se le permitía tener una visión complicada de la vida, tenía la obligación de ofrecer una imagen dulce, estable y sonriente. De una forma un tanto burda, se decía de una chica que tenía complejos cuando no sonreía a troche y moche.

> Sonrisa es benevolencia, dulzura, optimismo, bondad. Nada más desagradable que una mujer con la cara áspera, agria, malhumorada, que parece siempre reprocharos algo. El hombre puede tener aspecto severo; dirán de él que es austero, viril, enérgico. La mujer debe tener aspecto dulce, suave, amable. En fin, debe sonreír lo más posible.[4]

Las prédicas sobre la sonrisa femenina como panacea son incontables en las publicaciones de la época y tienen una clara vinculación con la ideología de la mujer fuerte y animosa propugnada por la Sección Femenina de Falange. Uno de los miembros de esta organización, la escritora Carmen de Icaza, popularizó, por boca de su más famoso personaje de ficción, *Cristina Guzmán, profesora de idiomas,* el axioma de que «la vida sonríe a quien le sonríe, no a quien le hace muecas». Se trataba de una especie de catecismo ético pero también estético. Una mujer que pretendiera hacerse la interesante mediante la languidez estaba obedeciendo a unos modelos de comportamiento equivocados, pasados de moda:

¿No ves que te estás perjudicando a ti misma con esa estúpida desgana que tú crees interesante y que te está estropeando el cutis, los ojos, el pelo..., con ese estado de dejadez que tú denominas lánguido y melancólico? ... ¡Ea, a sonreír sin miedo a la vida![5]

La sonrisa por precepto podía ser mucho más insincera que la dejadez y la desgana, convertirse ella misma en una mueca. ¿Pero eso qué importaba? Con todo cinismo llega a reconocer un autor:

Es verdad que también hay sonrisas inexpresivas, como petrificadas, pero aun en ese caso son preferibles al ceño fruncido. No podemos pretender que la gente sea siempre sincera... Aunque se trate de una sonrisa hipócrita, siempre contribuirá a embellecer algo la existencia.[6]

Sonreír era «airoso». El adjetivo «airoso», con claras connotaciones triunfalistas, se empleaba mucho en la postguerra española. Evocaba un ondear de banderas, un revoleo de capas en los desfiles. Significaba vencer, merecer el aplauso. Si se obtenía sobresaliente en un examen o se superaba una calamidad que parecía insuperable se había salido airoso. Lo contrario era darse por vencido, «quedar desairado», en mal lugar. Dentro de este contexto, la sonrisa se aconsejaba como actitud deportiva ante la vida,

sobre todo en el momento en que se os muestre adversa. A lo irremediable hay que salirle al paso sonriendo, porque es más airoso.[7]

Pero es que además, y este parecía el argumento más irrebatible y convincente, a los hombres no les gustaban las mujeres tristes.

Levanta ese ánimo. Lo único que los hombres no toleran es el aburrimiento. Y se aburren mucho con las mujeres de ojos enrojecidos y de sonrisa escuálida. Cambia de actitud. Ofrécete a su vista sugestiva, graciosa, alegre.[8]

Es muy probable que a la mayoría de las muchachas con complejos, por muchas ganas que tuvieran de sacar novio, estas abrumadoras propuestas no les sirvieran más que para recrudecer su gesto agriado, al sentirse incapaces de seguirlas con resultado inmediato y convertirse de la noche a la mañana en aquellas criaturas optimistas y cascabeleras que eran las únicas que les gustaban a los hombres, al parecer. Pero además ¿con qué derecho vamos a dar por válida para todos los casos esta interpretación tan banal? No todas las chicas señaladas por la sociedad como raras tenían por qué sentirse inferiores a causa de su complejidad. Nadie se ha preguntado, que yo sepa, si el llevar la contraria al mandamiento de la sonrisa no podía significar en otros casos, además de motivo de tormento, una actitud deliberada de rebeldía. Tal vez se negaran a sonreír simplemente porque no le vieran demasiada gracia a aquella única salida hacia el matrimonio preceptuada para la mujer que no tuviera vocación de monja. Con lo cual, por mucho que nadaran contracorriente, estarían dando pruebas de un mayor sentido crítico que otras amigas suyas.

¿Se interesaba realmente la sociedad por el porvenir de las solteras? ¿Las ayudaba alguien a aceptar con dignidad su condición de tales? Aparte de intentar «redimirlas» cuando se habían «descarriado», ¿qué opciones se les ofrecían para quitarles de encima aquel sambenito que las condenaba a vivir perpetuamente «desairadas»? Ninguna, en verdad.

Ni la familia, ni las amigas, ni los consultorios sentimentales se dirigían a la chica «que iba para soltera» con otro propósito que el de insuflarle, de mejor o peor fe, la ilusión de que algún día podía dejar de serlo, de estimularla en la competición con las demás aspirantes al rango de casadas. Vocación de soltera no se concebía que la pudiera tener nadie. Se trataba de animar a las que se creyeran en inferioridad de condiciones para que no perdieran la esperanza en la victoria, de alistarlas, en fin, para una causa que se consideraba de interés general. En la lucha por alcanzar un puesto ventajoso en el mercado matrimonial, una fea no tenía por qué quedarse a la zaga. Se las espoleaba para que dedicasen un cuidado especial a su arreglo, para que sacasen partido de su fealdad adquiriendo un «estilo» que podía brindarles las mismas oportunidades que a sus contrincantes más guapas.

> La hora de las feas ha sonado... De un tiempo a esta parte, la belleza se cotiza menos que antes... Las muchachas demasiado guapas están algo predispuestas a la tontez. Y nuestra fea lee, se educa... Facciones algo irregulares, eso sí, pero mirada inteligente, cutis cuidado, pelo peinado con sencillez y buen gusto, algo de pintura sabiamente aplicada. Al verla dirán que es original, que tiene personalidad, que es elegante. O simplemente dirán: no vale nada, pero tiene algo, me gusta... La fea no se resigna: lucha y vence.[9]

Dentro de esta retórica del éxito y el fracaso, la solterona que no había puesto nada de su parte para dejar de serlo era considerada con el mismo desdén farisaico que el Gobierno aplicaba a los vencidos; y su caricatura era a veces tan poco piadosa como elemental. En alguna revista para jovencitas llegó a resumirse el proceso hacia la soltería bajo el género de «cómic», mediante leyendas sucintas debajo de los sucesivos recuadros donde el dibujante había ido plasmando el progresivo estrago que transformaba a la chica con complejos en vieja amargada:

> A los diecisiete años, Luisa se cree fea y sin gracia. – A los dieciocho devora novelas y se consuela imaginándose guapísima. – Es retraída y reservada, tiene miedo a entregarse y que no sepan comprenderla. – Recelosa, a los chicos los despide con bufidos. – A los veintidós, en la oficina no es simpática y oye encantada cualquier crítica acerba contra los hombres y las que los atrapan. – A los veintiséis, entra Alicia en la oficina, más fea que ella, pero tan alegre y bondadosa que tiene éxito. Tiene «simpatía». – Luisa dice que es una «fresca», que las que atrapan a los hombres son las frescas. – A los treinta y cinco, frecuenta la iglesia pero no es capaz de llevar una vida piadosa. – A los cuarenta, le encanta reunirse con otras para despellejar al prójimo. –A los cincuenta, su lema es «piensa mal y acertarás».[10]

La misma denominación de solterona llevaba implícito tal matiz de insulto que se adjudicaba a espaldas de la aludida. Y en mentes infantiles, tan proclives a dejarse influir por orientaciones definitorias, evocaba a la mujer que nunca ha vivido «el gran amor», a la que nunca ha dicho nadie «por ahí te pudras» y que por eso tiene el gesto agriado. Como doña Merlucines, aquella señora tan aviesa, y por otra parte tan divertida, magistralmente retratada por Elena Fortún en el cuento de *Celia en el colegio*. Todos la conocíamos. Todos teníamos alguna tía, alguna visita o alguna criada que nos recordaba a doña Merlucines. Y a qué niña se le iba a ocurrir parecerse a ella cuando fuera mayor.

Existía, sin embargo, dentro del género una modalidad que constituía excepción y era considerada con piadoso respeto: la de la señorita a quien le habían matado el novio en la guerra y había decidido no volver a tener ninguno. Lo había jurado entre lágrimas, releyendo sus cartas y mirando su retrato, que solía tener enmarcado sobre la mesilla de noche. Fuera cual fuera el grado de convicción con que formulara aquel voto, el mero hecho de hacerlo no solo la ponía al abrigo de todo escarnio, sino que la ascendía al rango de heroína. A aquellas señoritas –yo conocí a algunas, porque constituían un grupo bastante numeroso– nadie les exigía que cambiaran el luto por la sonrisa. Hasta en algunos casos podía verse mal que lo hicieran, y se las criticaba si se echaban otro novio en seguida. «Pues pronto se le ha pasado la pena a esa», se solía decir. Y era corriente que conservaran durante muchos años, a veces durante toda la vida, una estrecha relación con la familia de él, especialmente con la madre y las hermanas. Eran como viudas. Y muchas de ellas iban vestidas de negro o con hábito de la Virgen del Carmen. «Lleva luto por su novio», se susurraba con cierta admiración. No las había dejado el novio. Se lo había quitado Dios. Eso no era quedarse «desairadas». A aquellas señoritas, propiamente hablando, no se las podía llamar solteronas. Se habían convertido en novias eternas.

Aunque no siempre, por supuesto, se culpabilizara a la solterona de haber llegado a serlo, su condición de tal no podía dejar de verse como un fracaso. Y a la propia interesada se lo hacían sentir así.

En mi juventud oí contar, dándolo por cierto, el caso de una señorita –no sé si de Palencia o de Valladolid–, que le había aguantado al novio tal cantidad de desaires y de humillaciones que nadie se explicaba cómo no lo mandaba a paseo. Impertérrita ante las críticas de los familiares y los consejos de las amigas, apuró sin embargo hasta las heces el cáliz de aquel noviazgo y logró finalmente, a base de pertinacia y disimulo acerca de sus verdaderos planes, vestirse de tules blancos y recorrer solemnemente el camino hasta el altar a los sones de la marcha nupcial de Mendelssohn. Una vez concluida la ceremonia y conseguido ante testigos el «sí» que pronunciaron los labios de su prometido, cuando le tocó a ella el turno de contestar si lo quería por esposo, se hizo un silencio expectante. «¡No, señor!», se la oyó pronunciar al fin con voz segura y bien timbrada, dirigiéndose al cura. Y, volviéndose acto seguido a todos los circunstantes que llenaban la iglesia, añadió con énfasis, haciendo un gesto teatral que los abarcaba con la mano: «¡Y si he llegado hasta aquí, es para que sepan todos ustedes que si me quedo soltera es porque me da la gana!» Dicho lo cual, se agarró la cola del vestido de novia con la mano derecha y desanduvo con taconeo resuelto el camino que la había llevado hasta el tribunal de Dios para dirimir su juicio ante los hombres.

Si aquella anécdota fue cierta, cosa que nunca pude acreditar, no comprendo cómo a esa mujer, comparable en su arrojo a Agustina de Aragón, no se le ha erigido una estatua. Y aun cuando se tratara de un personaje de ficción, que es lo más probable, su proeza merece consignarse aquí, ya que viene a cuento, como homenaje a la sabiduría de quien la inventara «para desengañar al vulgo», como diría el padre Feijóo.

Se daba por supuesto, efectivamente, que ninguna mujer podía acariciar sueño más hermoso que el de la sumisión a un hombre, y que si decía lo contrario estaba mintiendo.

La vida de toda mujer, a pesar de cuanto ella quiera simular –o disimular–, no es más que un continuo deseo de encontrar a quien someterse. La dependencia voluntaria, la ofrenda de todos los minutos, de todos los deseos e ilusiones es lo más hermoso, porque es la absorción de todos los malos gérmenes –vanidad, egoísmo, frivolidad– por el amor.[11]

Esta concepción del amor como terapia también se aplicaba, claro está, al soltero. Pero con matices distintos. Los hombres, por su misma naturaleza, tendían a campar por sus respetos, y si elegían vivir siempre esclavos de aquellos «malos gérmenes» en vez de someterse al yugo matrimonial, no quedaban propiamente desairados. El hombre que no se casaba es porque no quería y la mujer que no se casaba, en cambio, es porque no podía. Nadie daba un mentís a estos asertos, tan arraigados en el sentir general que habían llegado a crear su propia verdad y las víctimas de ellas.

> Un solterón, amiga, es lo más contrario a una solterona que pueda imaginarse. Ellas, pletóricas de ilusión acariciada y cultivada, cobardes ante una situación que se proyecta inevitable, suspiran y anhelan un cambio de situación cordial... Un solterón es un ser que ha edificado su tranquilidad a base de egoísmos y pseudocomodidades (comodidades de alquiler, por si nos entendemos mejor). Pero se encariñan con esa vida tan independiente, tan sin obligaciones esenciales.[12]

Ya tendremos ocasión de ver más adelante que tampoco los problemas del hombre frente al posible matrimonio eran tan simples como los presenta el texto reseñado, ni tan indiscutible esta identificación de la soltería masculina con una elección libre y egoísta de felicidad.

Pero dos cosas quedan fuera de toda duda. La primera que esas «comodidades de alquiler», eufemismo mediante el cual se alude a la satisfacción de las necesidades sexuales, la mujer no podía permitírselas así tan de rositas. Y la segunda que, en un sistema de total monogamia, las jóvenes aspirantes al matrimonio también luchaban con desventaja, estadísticamente hablando, frente a los varones que aspiraran a lo mismo, ya que la guerra había diezmado de forma notoria la población masculina.

Como el ideal y el lógico destino de la mujer es el matrimonio –*se lee en un texto de 1951*–, resulta desolador presentar a las mujeres el panorama de unos cientos de miles que no pueden casarse por la sencilla razón de que no hay hombres bastantes. En el último censo de Madrid, el número de mujeres supera al de varones en casi 200.000.[13]

Ante tan desolador panorama había que tomar alguna medida, aunque fuera a regañadientes. La soltería femenina no solo acarreaba la renuncia a las tan decantadas dulzuras del hogar, sino también la obligación de ganarse el sustento. Porque resultaba patente hasta para la imaginación más cerril que el infortunio de quedarse soltera no era exclusivo de las marquesas.

La población femenina es mucho más numerosa que la masculina, lo que fácilmente hace comprender que muchas mujeres tengan que quedarse solteras. De ahí la necesidad de educar técnica y profesionalmente a las jóvenes para que honradamente puedan tener una independencia económica, en caso de que las vicisitudes de la vida les nieguen la formación de un hogar familiar.[14]

La educación técnica y profesional de las mujeres quedaba así tarada desde sus mismas raíces por un carácter de provisionalidad o de emergencia, totalmente en contradicción con el interés que un aprendizaje debe despertar tanto en quien lo recibe como en quien lo imparte. ¿Cómo iba a alcanzar un nivel profesional aceptable en ningún campo la que, de acuerdo con este texto y otros semejantes, tomara aquella formación como un desdichado sucedáneo para el caso de que la suerte le negara la formación de un hogar familiar?

Pero tales consideraciones, caso de que alguien se las hiciera en su fuero interno, estaban censuradas. El frenético desvelo por sanear la moralidad de las costumbres, que dio la tónica a la política fiscalizadora de los años cuarenta, había llevado a las autoridades a considerar el trabajo de la mujer fuera del hogar casi exclusivamente bajo el prisma de sus aspectos negativos, como ocasión de relajamiento y pecado. A nadie, ni siquiera a los censores más estrictos, se le ocultaba que estaba bien entrado el siglo XX y que aquel fenómeno, por muy alerta que conviniera estar sobre él, representaba

> ... un efecto normal, acaso más tranquilizador de lo que podía preverse, de la transformación debida a los trastornos nacionales y mundiales habidos los últimos decenios.

Pero en el mismo texto donde se reconoce esto se insiste, líneas más abajo, en que también suponía, no solo un peligro para el pudor de las jóvenes trabajadoras, sino un mal ejemplo para las que no lo eran.

> Ha aumentado mucho, especialmente en las ciudades más populosas, la libertad y el desparpajo con que procede la muchedumbre de mujeres jóvenes independizadas por tener que trabajar fuera de su casa, libertad aprovechada por otras muchas que no podrían invocar la misma razón. Son mayores, por consiguiente, los riesgos de relajación del pudor femenino.[15]

Creo, de todas maneras, que dentro de las cortapisas que se ponían a la independencia femenina latía un recelo fundamentado también en razones de tipo económico. En la España de postguerra había mucho paro, y si se estimulaba a las mujeres a trabajar fuera de casa y no dentro de ella, podrían llegar a estar capacitadas para disputarle al hombre sus puestos laborales. Por otra parte, comoquiera que la edad de casarse no viniera detallada con precisión en ningún decálogo, si la etapa de «entrenamiento» para ganarse la vida se tomaba demasiado en serio o duraba más de la cuenta, se corría el peligro de crear en la mujer necesidades y aficiones que el día de mañana pudiera echar de menos. Le tomaría gusto a algo que, según la doctrina oficial, estaba reñido con su propia condición y la estragaba: a la independencia.

La mujer acostumbrada a manejar un sueldo ganado por sí misma –dice un texto– no soportará pacientemente escaseces económicas que la obliguen a suprimir aquellos caprichos... y condenará al esposo a un descontento humillante... Cierto que existe un numeroso grupo de mujeres para quienes el trabajo no es únicamente el medio más directo de conquistar independencia, sino que necesariamente han de ganar un sueldo para ayudar a sostener un hogar que carece de apoyo masculino... No sucede lo mismo con aquellas que desertaron de sus deberes domésticos sin que una necesidad de orden económico las obligue, sino arrastradas por la corriente modernista, a cuya influencia se entregan con verdadero entusiasmo.[16]

Así que la etapa de la soltería vivida con placer y desahogo podía resabiar a la futura casada. La soltería era mejor que no dejara buenos recuerdos, que se viviera como una cruz, como una tensa expectativa. Pero, eso sí, sonriendo. Porque era más airoso. Y estas prédicas, de tanto multiplicarse y asediar por todos los flancos, acababan surtiendo su efecto. De vez en cuando, en las publicaciones de la época, se hacen encuestas a las chicas que estudian o que trabajan y casi todas contestan lo mismo: que cuando se casen dejarán de hacerlo. Que están esperando al Príncipe Azul. Algunas universitarias –como una tal Blanca, entrevistada por la revista Medina– hacían alarde de sinceridad al confesar que estudiaba

... para ganar dinero... Aunque le aseguro que si encuentro en mi camino un muchacho inteligente y que «no esté mal del todo», me casaré con él, ya que al fin esta es, a mi juicio, la verdadera carrera de la mujer.[17]

Incluso cuando habían llegado a ejercer una carrera de categoría, la tomaban como algo provisional. Su verdadero ideal era otro. O al menos eso es lo que decían de forma casi unánime.

Isabel Ribera, médico odontólogo, que, de acuerdo con la descripción que hace de ella la entrevistadora de El Español des-

descaradamente. So capa de intención piadosa y alentadora, que bien mirado era insulto, a la mujer solitaria se la arrojaba despiadadamente del paraíso.

> No puede una mujer sentirse placenteramente feliz –*dice un texto*– si no es bajo el cobijo de una sombra más fuerte. Más fuerte en todo: en lo sentido y en lo imaginado. Precisa nuestra feminidad sentirse frágil y protegida.[21]

La exaltación del desvalimiento, de la fragilidad que busca cobijo, encerraba a las mujeres en un infantilismo que, con el correr de los años, perdía todo poder de seducción y se volvía sencillamente anacrónico. Nada más grotesco que los mohines y atuendos aniñados de aquellas hijas de familia ya entradas en años, en inquieta búsqueda del cobijo de una sombra más fuerte. Avizorando perpetuamente aquella sombra del novio fugitivo, que se desvanecía como un espejismo, se veían condenadas a aceptar empleos mediocres que no sabían desempeñar bien, a reconcomerse envidiando a las amigas y a seguir ensayando delante del espejo sonrisas cada vez más escuálidas y desamparadas. Y eran cursis, «más cursis que un guante», como la señorita Adelina, cuyas vicisitudes cantó Conchita Piquer en una de sus coplas menos afortunadas, «La niña de la estación». Pero que alcanzó más popularidad que ninguna, porque a la gente siempre le ha gustado mucho la gracia gorda y asistir con aquiescencia a la baza de los tópicos.

Tampoco la literatura, el cine o los seriales radiofónicos parecían tener el menor interés en desmentir o rectificar este cliché. La solterona era un tipo rancio, anticuado, cursi. No en vano, la palabra «cursi», que se implantó en el siglo XIX, parece proceder por inversión silábica del apellido de ciertas hermanas andaluzas de la clase media, las señoritas Sicur, famosas por su deseo de aparentar más de lo que eran con vistas a sacar novio. Un tema decimonónico, galdosiano, el de la solterona. Pero en la España de los años cuarenta permanecía su vigencia, y eran pocas las voces que se alzaban para protestar del tópico que seguía identificando la dependencia al varón con la única felicidad legítima e idónea para la mujer. Alguna se encuentra, a pesar de todo.

Si queréis interpretar debidamente la soltería –*dice un texto de 1949*–, dejad de pensar en las solteronas como en mujeres que fracasaron, por alguna razón, en casarse. Y empezad a pensar si no fueron las casadas las que, por cualquier razón, fallaron en no quedarse solteras.[22]

Pero eran voces que clamaban en el desierto, testimonios excepcionales. Y además revolucionarios, por entrar en conflicto con la política del Gobierno y de la Iglesia, aliados en su empeño de reforzar el vínculo matrimonial exaltando sus excelencias y ventajas. Mediante préstamos a la nupcialidad y los famosos subsidios y leyes de protección a las familias numerosas, Franco se había propuesto remediar el estrago demográfico de aquel millón de muertos, víctimas de una guerra que él mismo había emprendido. Y la mujer tenía que ser la primera en pagar el pato.

Ya antes de que se acabara la guerra, en una orden ministerial de 1938, se daba a entender que el programa de la recuperación de la familia estaba principalmente basado en una renuncia por parte de las jóvenes españolas a sus veleidades de emancipación, anunciando «la tendencia del nuevo Estado a que la mujer dedique su atención al hogar y se separe de los puestos de trabajo».[23]

Con una solidaridad unánime, apoyaba el estamento religioso aquella tendencia que, por otra parte, coincidía con los ideales del Papa Pacelli, como ya vimos. Desde los confesionarios, los púlpitos, las circulares episcopales y las publicaciones de Acción Católica, se ponía en guardia a la nueva mujer española contra el «peligro disolvente» que entrañaban los trabajos que la alejaran del hogar, y se la encarrilaba hacia la total sumisión.

Vuestra hosca sensibilidad de modernas jóvenes independientes se doblegará costosamente a una sujeción casera –*había escrito el Papa*–. En torno a vosotras muchas veces os la presentarán como algo injusto, os sugerirán un señorío más altivo de vosotras mismas... No prestéis oídos a esas voces de sirena tentadoras y falaces.[24]

Desde un punto de vista político, se trataba además de incluir la restitución de la mujer al hogar dentro de los deberes de justicia emprendidos por la cruzada liberadora del marxismo. A la mujer no se la había recluido, sino que se la había rescatado de las garras del capitalismo industrialista, que intentó alejarla de sus labores. Así había que entenderlo, y así se escribía:

> La nueva concepción moral y social de la mujer significa, ante todo, una restitución a su puesto familiar y un reconocimiento de justicia de su trascendental misión económico social... La mano de hierro del capitalismo industrialista arrebató la rueca de las manos de la dulce Margarita... Pues el retorno a ese hogar, como madre y señora ama, entre patriarcal e idílico, ... eso significa la restitución de la mujer a su puesto familiar.[25]

La dulce Margarita ya tenía nuevamente la rueca en las manos. Dignificada y redimida, ¿qué menos iba a hacer que dar las gracias? Y eran muchas mujeres las que las daban, porque la mayoría de la población femenina seguía manteniendo una actitud tradicional y conservadora, cosa que ya había quedado patente durante la etapa de la breve República. No conviene olvidar que el voto femenino, conseguido por primera vez en España en las Cortes de 1931, tras dura polémica, fue una conquista más aparente que real de Victoria Kent, su más apasionado adalid.* Algunos historiadores, de hecho, atribuyen el giro a la derecha imprimido a la política española en las elecciones de 1933 a la enorme cantidad de votos antirrepublicanos que suministraron a las urnas las esposas y madres «de toda la vida».

---

* La conquista del sufragio femenino en España debe atribuirse en realidad a Clara Campoamor. El derecho a voto de las mujeres se consiguió el 1 de octubre de 1931 tras un duro debate en las Cortes protagonizado por esta diputada del Partido Radical, precisamente frente a Victoria Kent, del Partido Republicano Radical, quien defendía la posposición de la aprobación de este derecho. *(N. del E.)*

No debe extrañarnos, pues, que la capciosa interpretación del encierro otorgado como liberación magnánima fuese ahora aceptada e incluso jaleada por muchas de aquellas «dulces Margaritas» que habían recuperado su preciada rueca.

> Leemos diferentes artículos, y una cosa queda clara en nuestro espíritu femenino: que en resumidas cuentas, ¡por fin!, hay un Estado que se ocupa de realizar un sueño de tantas mujeres españolas: el ser amas de casa.[26]

Bien es verdad que para inculcarle este sueño a la mujer que no lo tuviera y para afianzarlo y convertirlo en ideal político, el Gobierno contaba con la colaboración providencial de la única mujer que dio mítines en los años cuarenta. Me refiero a Pilar Primo de Rivera, de la que nos ocuparemos especialmente en el capítulo próximo.

Por ahora, con lo dicho, ya queda bastante claro que el culto a la feminidad, inculcado por tantos flancos desde la primera infancia, llevaba aparejado el aborrecimiento de la soltería.

III. EL LEGADO DE JOSÉ ANTONIO

> Échale amargura al vino
> y tristeza a la guitarra,
> camarada, que se ha muerto
> el mejor hombre de España.

Esta copla, que al parecer nació en las trincheras, se propagó mucho por Salamanca a partir del 20 de noviembre de 1936, y el general Franco, que el 3 de octubre había instalado su Cuartel General en el Palacio del Obispo de aquella ciudad, seguro que tendría que oírla más de una vez, porque no había nada que no llegara a sus oídos alertas y suspicaces. Pero, a pesar de lo dura que era de tragar la última estrofa, nunca la prohibió. No sabemos si se miraría al espejo alguna noche, como la madrastra de Blancanieves, y vería dibujarse al fondo del azogue la sonrisa de aquel abogado joven, guapo y de encendido verbo, con el pelo peinado para atrás, cuya muerte lloraban las guitarras de la zona «nacional» en el umbral del primer duro invierno de la guerra. En todo caso, se encogería de hombros, respiraría con alivio y se iría a la cama, complaciéndose una vez más en su buena estrella.

El oportuno fusilamiento de José Antonio Primo de Rivera en el patio de la cárcel de Alicante le quitaba de en medio al único líder con «carisma» que tal vez hubiera podido discutirle años más tarde, desde su mismo campo, la supremacía de un mando único, asentado sobre las componendas y la manipulación. Bien es verdad que le dejó también la espinosa faena de lidiar con el mito del «Gran Ausente», expresión mediante la cual se estuvo aludiendo durante mucho tiempo al fundador de la Falange Española. Pero a Franco, que en esto no hacía honor a su origen galaico, siempre le trajo mucho más sin cuidado la sombra de los muertos que la presencia de los vivos. Los despojaba de lo que sirviera de provecho a su propio relumbrón, los enterraba con todo el boato y los discursos que hicieran falta y seguía adelante sin un pestañeo por el camino que se había trazado, amparándose en el nombre de los caídos para meter de matute su propia gramática parda y desactivar cualquier ideología que le pudiera hacer competencia.

Tres años después de la muerte de José Antonio, cuando se inició el espectacular traslado de sus restos al monasterio de San Lorenzo de El Escorial, la Falange ya se había adulterado, unificada bajo el control del Régimen, y muchos de sus miembros se habían convertido en inoperantes corifeos del ganador glorioso de la guerra, que, vestido con camisa azul y saludando brazo en alto, ostentaba el mando del viejo partido, titulado ahora con un nombre más largo: FET y de las JONS. Los militantes menos acomodaticios y más difíciles de domesticar, a quienes empezó a conocerse con el nombre de «camisas viejas», iban a verse –sobre todo a partir de la condena a muerte de Hedilla– obligados a arrastrar una existencia lánguida o amenazada, cuya compleja historia nos alejaría del propósito de este libro.

La única pieza del nuevo partido que mantuvo la identidad del partido anterior –*escribía años más tarde uno de estos disidentes*– había sido la Sección Femenina de Falange, y ello por la sencilla razón de que su jefatura la encarnaba una hermana de José Antonio que, por serlo, quedaba como sacralizada para los militantes y como intocable para los nuevos ejecutivos... De momento, sería la Sección Femenina de Falange –sus locales, sus congresos, sus publicaciones– la vestal colectiva del antiguo culto.[1]

Una vestal de cariz más bien doméstico, hay que reconocerlo, y que venía como anillo al dedo en tiempos de racionamiento y restricción. Porque Pilar Primo de Rivera, que mantenía en aquellos congresos el ideario de ama de casa ahorrativa y prudente propuesto siglos atrás por fray Luis de León en *La perfecta casada,* era ella misma lo que llamaban nuestras madres «una mujer muy apañada».

Suscribía este juicio por la vía del humor un chiste de los muchos que se inventaron en la postguerra para burlar la opresión de la censura y en el que se decía que «de una camisa vieja de su hermano se había hecho una combinación de las que duran toda la vida». Buen resultado, desde luego, sí le dio, porque de hecho duró más que el propio Franco, aunque ya en sus postrimerías desteñida y hecha un trapo. Pero me parece de justicia quitarle a la palabra «combinación» sus posibles resonancias de negocio desaprensivo, ya que ni Pilar Primo de Rivera ni las colaboradoras de su apostolado amasaron una fortuna predicando el ahorro, la sonrisa, la gimnasia al aire libre y el baile regional. La clave del buen resultado de la Sección Femenina de Falange hay que buscarla en su antifeminismo, que la hacía grata a los ojos de Franco, y en la borrosa personalidad de su creadora, siempre dispuesta a someterse a una jerarquía superior. La descripción que hace de ella Dionisio Ridruejo nos evoca a la señorita provinciana educada en la circunscripción y en la modestia.

> Era una muchacha sencilla, poco preocupada de su arreglo y agradablemente tímida, que hablaba con voz de niña.[2]

Hay una foto familiar muy elocuente tomada antes de la guerra, donde aparece don Miguel Primo de Rivera, el dictador jerezano, con esposa y sus cinco hijos. Los tres varones y el padre están de pie detrás, mirando al frente muy tiesos y aguerridos, dominando el cotarro de las mujeres, que aparecen sentadas en primer término –la madre en medio y las dos chicas a los lados– en actitud pasiva, con los pies un poquito cruzados y las manos descansando sobre la falda. Pilar, casi una adolescente, lleva un vestido de talle bajo, zapatos de trabilla con discreto tacón, raya al lado y collar; en la expresión de su rostro se adivina la tranquilidad de la joven de buena familia respaldada por una muralla de hombres encargados de proteger al sexo más débil y de encauzarlo. Tal vez en ese tiempo soñara con un novio o lo tuviera. Más tarde, al ofrendar su vida a la tarea de «guardar ausencias» al «Gran Ausente» y de erigirse en heredera de su partido, se aproximó más al tipo de la «novia eterna» comentado en el capítulo anterior que al de la solterona. Tenía unos ojos redondos y algo tristes, de mirada más obsesiva que espabilada, pues la pólvora se demostró que no la había descubierto. Pero no era fea. Ni tampoco se dijo nunca de ella que fuera mala persona.

José Antonio, como buen señorito andaluz, fue siempre abiertamente contrario a la emancipación de la mujer. En un acto celebrado en Don Benito el 28 de abril de 1935, se dirigió en los siguientes términos a un auditorio principalmente femenino:

> No entendemos que la manera de respetar a la mujer consista en sustraerla a su magnífico destino... El hombre es torrencialmente egoísta; en cambio la mujer casi siempre acepta una vida de sumisión, de servicio, de ofrenda abnegada a una tarea.[3]

Esa parcela de sus convicciones fue la que inculcó en su hermana Pilar, hacia quien, según parece, sentía marcada predilección, tal vez porque hubiera descubierto en su carácter maleable madera de discípula. Tuvo buen ojo, desde luego. Porque en todo lo tocante a la exaltación del magnífico destino de la mujer abnegada, nadie hubiera podido seguir las huellas del maestro con mayor ortodoxia que Pilar.

> Tenéis que buscar el apoyo constante de nuestros Jefes Provinciales –dijo una vez a sus afiliadas en Guadalupe–... Porque en esto nuestra vida falangista es un poco como nuestra vida particular. Tenemos que tener detrás de nosotros toda la fuerza y decisión del hombre para sentirnos más seguras, y a cambio de esto nosotras les ofreceremos la abnegación de nuestros servicios y el no ser nunca motivo de discordia. Que este es el papel de la mujer en la vida. El armonizar voluntades y el dejarse guiar por la voluntad más fuerce y la sabiduría del hombre.

En este mismo discurso, de principios del año 1944, es decir, cuando acababan de regresar de Rusia con las orejas gachas los últimos expedicionarios de aquel descabellado sueño imperial que se llamó la División Azul, y se temía una derrota de las potencias del Eje, a Pilar se le nota cierta preocupación por el futuro de su apostolado falangista cuando habla de las pusilánimes que tímidamente se van apartando de la Falange por si cambian las cosas.

Y añade, inflamada de renovados bríos, que no se puede perder el tiempo.

> No perder ni minuto, ni hora, ni día en esta complicada misión de enseñar, que de toda esta prisa necesita la Patria para que ni una sola mujer escape a nuestra influencia y para que todas ellas sepan después, en cualquier circunstancia, reaccionar según nuestro entendimiento falangista de la vida y de la historia.[4]

Cualquiera que lea este texto, sin estar en antecedentes de la cuestión, podría sacar la consecuencia engañosa de que aquella urgente y «complicada» misión formativa de las afiliadas requería unos conocimientos especializados y difíciles de improvisar por parte del equipo que impartía las enseñanzas encaminadas a que cualquier mujer española pudiera reaccionar «según un entendimiento falangista de la vida y de la historia». Y se quedaría bastante sorprendido al enterarse de que las asignaturas de la Escuela Municipal del Hogar, núcleo principal de la Sección Femenina, tenían un contenido que no distaba sustancialmente del baño de «cultura general» con que tendían a complementarse los encantos naturales de las burguesitas casaderas del siglo XIX retratadas por Galdós o Pérez Lugín. Bastará con enumerar estas asignaturas, cuyos títulos eran los siguientes: Religión, Cocina, Formación familiar y social, Conocimientos prácticos, Nacionalsindicalismo, Corte y Confección, Floricultura, Ciencia doméstica, Puericultura, Canto, Costura y Economía doméstica.

En cuanto al temor de Pilar Primo de Rivera de que alguna española escapase a su influencia, era totalmente infundado. Porque, aunque el número de las afiliadas a la Sección Femenina no coincidiera, como tal vez su jefa habría deseado, con el censo total de las muchachas españolas, el verdadero poder de aquella organización se ejercía a través del famoso Servicio Social, inesquivable requisito para obtener trabajo y cuya obligación comprendía

> a todas las mujeres solteras o viudas sin hijos desde los 17 a los 35 años que quieran tomar parte en oposiciones y concursos, obtener títulos, desempeñar destinos y empleos retribuidos en entidades oficiales o Empresas que funcionen bajo la intervención del Estado. Y a partir del 10 de enero de 1945, se exigirá el certificado de haberlo realizado totalmente para obtener pasaportes, carnets de conducir y licencias de caza y pesca, así como seguir perteneciendo a centros o asociaciones artísticas, deportivas, culturales, de recreo o análogas.[5]

Leyendo atentamente este documento restrictivo para el trabajo y el recreo de la mujer, se echa de menos una puntualización en lo que se refiere al deporte de la pesca. Era para los barbos y las truchas para lo que había veda; para los hombres no. Todo lo contrario. Pescar marido era lo único que podía hacer una muchacha sin que se le exigiera ostentar en la solapa la preciada chapita de esmalte azul acreditativa de haber cumplido su Servicio Social. Y una vez convertida en «señora de», ya estaba eximida de todo lo que no fuera aguantar a ese marido. Con lo cual queda demostrado que era una ciencia que solo se aprendía de verdad metiéndose a ejercitarla.

Pero aquellas esforzadas monitoras, muchas de las cuales no se casaron nunca, creían de buena fe que todas sus enseñanzas estaban contribuyendo a formar la esposa ideal. Y entre estas enseñanzas una de las más exaltadas era la de la gimnasia:

> La gimnasia y el deporte adecuados ejercen una acción bienhechora sobre la mujer..., le ayudan a conseguir la plenitud de su gracia y armonía física; desarrollan su agilidad y fuerza; despiertan en ella el sentido de la disciplina y esclarecen su inteligencia, constituyendo a la vez un entretenimiento alegre, sano y honesto. Y la hacen más apta para su misión maternal.[6]

Pilar Primo de Rivera, aunque no se tiene noticia de que practicara deporte alguno, había heredado del fascismo aquella retórica de las altas cumbres, las montañas nevadas y el aire libre. Teóricamente la gimnasia se inscribía en la lucha de lo limpio contra lo sucio, de lo sano contra lo malsano. La afición al aire libre y al sol era un antídoto contra el ambiente impuro de bares, cines y tertulias.

> En los años que precedieron a nuestra Cruzada, la juventud se dividía en dos sectores: los que jugaban a conspirar en todas las encrucijadas de lo exótico y lo malsano y aquellos que preferían ejercitar sus músculos y su vigor en los juegos físicos para ofrecer cuerpos más fuertes, más ágiles al resurgimiento español que preparaban con las vigilias de su pensamiento.[7]

Pero aquellas menciones al cuerpo no hicieron mucha gracia en algunos sectores de la Iglesia, que veían en el «mens sana in corpore sano» predicado a la mujer *limpia moralmente que el Estado quiere para la madre de sus hombres del porvenir*[8] una asechanza larvada de paganismo.

> El desenfreno deshonesto –*amonestó el obispo de Madrid-Alcalá Eijo Garay* no necesita ciertamente de grandes estímulos para desarrollarse. Antes bien, se revela con pujanza en cualquier circunstancia favorable, pero en la juventud suele acrecentarse, so pretexto de lícitos ejercicios deportivos y gimnásticos, hasta enmascarar un neopaganismo de incalculables consecuencias.[9]

A estas reticencias de la parce más integrista del clero oponía Pilar Primo de Rivera la garantía de estar creando una gimnasia genuinamente española, es decir, decente:

> Y el peligro que pudiera haber para las mujeres de que se aficionen a presentarse delante del público con unos trajes que no se acomoden quizás a las normas de la moral cristiana, o la cosa un poco pagana que tiene en sí de darle demasiada impor-

tancia a la belleza del cuerpo, está salvada con una vigilancia constante sobre la indumentaria.[10]

La verdad es que si alguna cumplidora del Servicio Social tendía a darle importancia a la belleza de su cuerpo o a complacerse en su gracia y armonía físicas, la vigilancia constante sobre la indumentaria a que alude el texto reseñado alcanzaba cotas tan antiestéticas como para apagar cualquier conato de narcisismo. El uniforme reglamentario para aquellos ejercicios mediante los cuales la mujer del nuevo Estado se capacitaba *para cumplir sus especiales funciones creativas*[11] era tan incómodo y tan feo que convertía en sacrificio lo que hubiera podido ser placer. Estorbaba. Embarazaba. Y era como un presagio de que aquella misma sombra de incomodidad y freno habría de extenderse a las «especiales funciones creativas» de las cuales se suponía preludio. En un caso y en otro, penoso e impuesto embarazo que no ha conocido el placer del cuerpo en libertad. La prenda más típica de aquel uniforme embarazoso que aprendieron a confeccionar todas las madres y costureras modestas de postguerra eran unos calzones oscuros de corte moruno que se ajustaban por encima de la rodilla y se conocían con el nombre de pololos.

> El pololo es un invento de la Sección Femenina. Ni siquiera la palabra viene en el diccionario. El pololo es prenda ambigua, ya que parece que permite moverse con libertad, pero, al no ser de tela elástica y pegadiza a la piel, resulta que tira y estorba, además de lastimar con sus gomas la cintura y los muslos de la usuaria.[12]

Si el cardenal Segura o el obispo Eijo Garay hubieran descendido de sus altas sedes para visitar uno de aquellos locales, con pinta de hangar mal ventilado, donde las adolescentes cumplían en pololo con el penoso deber de la gimnasia, como más adelante cumplirían sin quitarse el camisón con el débito conyugal, hubieran podido dormir tranquilos. El paganismo no aparecía por ninguna parte. Ni tampoco el exotismo. Porque aquellos ejercicios siempre tenían alguna reminiscencia de baile regional.

La Sección Femenia concede una gran importancia al baile popular español, que reúne en la forma más pura el sentido hispano del ritmo y del movimiento, base fundamental para conseguir la gimnasia genuinamente española que aspiramos a lograr.[13]

Cuando empezábamos a hacer el Servicio Social nos daban una chapita roja de esmalte con las iniciales S. S. grabadas en dorado, indicadora de que se estaba cumpliendo. En el plazo, a veces de años, que mediaba entre la penitencia de esa insignia provisional y la adjudicación liberadora de otra exactamente igual pero en esmalte azul, a algunas nos había dado tiempo a terminar una carrera y soñábamos con ejercerla, a despecho del mes de formación teórica, los dos de asistencia a escuelas del hogar y los tres de prestación que se podían cumplir en comedor infantil, taller o cocina. Además de gimnasia y un poco de baloncesto, se había aprendido, haciendo empanadillas de escabeche y la canastilla del bebé, que para la mujer la tierra es la familia.

Para la mujer la tierra es la familia. Por eso en la Falange, además de darles a las afiliadas la mística que las eleva, queremos apegarlas con nuestras enseñanzas de una manera más directa a la labor diaria, al hijo, a la cocina, al ajuar, a la huerta, y darle al mismo tiempo una formación cultural suficiente para que sepa entender al hombre y acompañarlo en todos los problemas de la vida.[14]

Las cumplidoras del Servicio Social que, gracias a sus estudios o a un ambiente familiar más propicio, no tuvieran totalmente atrofiada la neurona sacaban en consecuencia, más tarde o más temprano, que aquella formación cultural entendida como andamio previo para el matrimonio no pasaba de ser el timo de la estampita disfrazado con frases sublimes.

¿En qué consistía aquella mística que elevaba a las mujeres y que las llevaba a representar un papel sin entenderlo? Quien aprendió algo fue a base de apasionada pesquisa personal, pero ninguna de aquellas enseñanzas ayudaban, como falazmente insinúa el texto reseñado, a entender al hombre ni a acompañarlo en sus problemas. Pero es que además se introducía otro elemento de desconexión sobre el que insistiremos al hablar de la retórica del amor. Esa misma mística que elevaba a la mujer también al hombre lo incapacitaba para verla y entenderla de verdad. Cualquier análisis de sus verdaderas necesidades afectivas –y ya no digamos sexuales– estaba desterrado.

> El hombre –*dice un texto*– necesita a la mujer «tal como debe ser» (el entrecomillado es mío). Todo estudio frío de la sexualidad femenina, de la psicología, del amor, de la volubilidad no hace sino alejarnos del punto al que queremos llegar. La mujer ha de ser siempre un poco Dulcinea, porque nosotros somos siempre, más que ninguna otra cosa, Don Quijote... Necesitamos de este respetuoso concepto de la mujer... La investigación, el análisis, la historia, encontrarán muchas veces una Aldonza Lorenzo. ¿Pero qué nos importa a nosotros de esa zafia labradora carirredonda y chata? Lo importante es, naturalmente, doña Dulcinea, señora y princesa universal, andando entre ámbares y flores. Y sin dejar por ello, a ratos, de ahechar trigo.[15]

En nuestro paso por las dependencias del Servicio Social se nos instaba, efectivamente, a disfrazarnos de Dulcineas, sin dejar de ser Aldonza Lorenzo. Y durante aquellos ensayos, demasiado largos para lo mal que luego salía la función, ambos disfraces nos pesaban por postizos e irreconciliables. Nos enseñaban, en resumidas cuentas, a representar. No a ser. La verdad es que el cumplimiento del Servicio Social constituía un trago que únicamente el buen humor y los pocos años podían hacer más llevadero. Duraba seis meses a seis horas diarias, o sea que, descontando los domingos y fiestas de guardar, era una media de quinientas horas las que tenía que emplear la soltera o viuda sin hijos menor de treinta y cinco años para doctorarse como «mujer muy mujer», antes de aspirar a otro tipo de doctorados o expansiones propias de los hombres. Venía a ser así como una especie de vacuna obligatoria contra el tifus, aunque en lo relativo a su dosificación existiera bastante manga ancha. Es decir, de la misma manera que se dan facilidades para el pago de una deuda demasiado onerosa, la que no quería –y éramos muchas– cumplir aquellos seis meses a destajo, en plan de sufrido recluta, y prefería darle largas al asunto, podía solicitar treguas y permisos, algunos de los cuales, sin embargo, como el de la salida al extranjero, aparejaban una declaración jurada y el consiguiente recargo de días que se iban acumulando al total. Con lo cual muchas veces el remedio venía a ser peor que la enfermedad, y no acababa una de quitarse de encima aquella pesadilla de las genuflexiones gimnásticas, la tarta de manzana y los bodoques e iniciales bordados en el embozo de la sabanita infantil. Que quién sabe si no sería precisamente eso lo que pretendían nuestras monitoras al concedernos tanto plazo: irnos encariñando con la ilusión del marido abstracto, padre del bebé no menos abstracto que dormiría cubierto por aquella sabanita, irnos minando arrestos para afrontar nuestra entrada en el mundo laboral y darnos tiempo a encontrar un novio en la universidad o entre aquellos camaradas de camisa azul encargados de predicarnos el espíritu de la Falange durante el primer mes dedicado a la parte «teórica o de formación».

Este título era, en verdad, demasiado pomposo si se compara con la vacuidad de unos discursos que, empezaran por donde empezaran, siempre llegaban a la misma moraleja: la de que esquiváramos la galantería, que era, según José Antonio, una estafa y un soborno para la mujer. En su arenga de 1935 a las mujeres de Don Benito, donde estableció que el hombre es «torrencialmente egoísta» y cuyo texto se reprodujo en múltiples ocasiones, el Gran Ausente había dicho también:

> Nosotros sabemos hasta dónde cala la misión entrañable de la mujer y nos guardaremos muy bien de tratarla como tonta destinataria de piropos.[16]

La Falange nos tenía que acostumbrar a ser altivas y dignas, a guardar las distancias, a encastillarnos. Y dentro de esa mística, el halago verbal a bocajarro tenía mala prensa, tal vez también por descubrir en él ciertas reminiscencias plebeyas.

Recuerdo haber escuchado a cierto profesor de Formación Política, un rubio fornido del que todas las chicas estábamos algo enamoradas, aconsejarnos en uno de sus discursos que si nos decían algún piropo por la calle, no debíamos limitarnos a callar o a apretar el paso con apuro, porque eso era anticuado. Que lo que había que contestar con la cabeza alta era: «¡Yo soy de Falange!», cuya declaración se suponía conjuro de suficiente eficacia como para poner en fuga al osado tentador de nuestra fortaleza.

Pero, por otra parte, a aquellos mocetones tan «varoniles», delegados de no sé qué o jefes provinciales de no sé cuántos, que muchas veces se iban a tomar el té con las jefas mientras discutían nuestros destinos, los teníamos que llamar «camaradas», que eso era lo más chocante de todo. A la que le diera, en plan de pesquisa intelectual, por indagar la esencia de la camaradería podía acabar en Leganés. Sobre todo si buscaba su orientación en textos como el siguiente:

> Muy inteligentes, todo lo «en camarada» que se quiera, pero en su puesto ellas, de mujeres siempre, en lo cual debe estribar precisamente el destello más deslumbrador de su talento.[17]

Desde luego, el derroche de talento que hubiera hecho falta para poner de acuerdo extremos tan dispares suponía, en todo caso, un virtuosismo digno de mejor causa.

La polémica sobre la camaradería hizo gastar mucha tinta y mucha saliva en la década de los cuarenta. Más que nada porque incidía en las relaciones de amistad entre hombre y mujer, que la entrada en la universidad no podía ya por menos de propiciar. El diccionario, sin hacer distinción de sexos, definía a un camarada como a aquel que «anda en compañía de otros tratándose con amistad y confianza». Y sin embargo, las relaciones de amistad con persona del sexo contrario parecían sospechosas y tendían a frenarse invocando las razones más variadas, aunque todas inconsistentes.

> Existen en nuestros días hombres y mujeres muy dados al cultivo de la amistad con el sexo opuesto. En teoría es precioso y personalmente lo he defendido mucho... Pero la mayor parte de las veces somos nosotras las incapaces del dulce experimen-

to... No podemos comprender que «Él» no nos quiera más que a sus numerosas amigas.[18]

Al entrecomillar ese pronombre masculino y escribirlo con letra mayúscula, ya se está resaltando, sobre toda otra discusión, la noción predominante del varón como redentor de la soltería. Y, de la misma manera que a los hombres de postguerra no les gustaban las chicas tristes o «raras», tampoco solían inclinarse por las que practicaban con naturalidad la camaradería, que con tanto freno, claro, no podían ser muchas. A algunos escritores de ideología tradicional les parecía incluso mal el tuteo, porque acortaba distancias y atentaba contra el mito de la mujer inaccesible.

> La convivencia constante que se observa entre chicos y chicas... desde el punto de vista de la mujer en estas latitudes no creo que sea positiva. Conviene que las mujeres conserven cierto misterio, conviene que no se dejen tratar fácilmente de tú... ¿Por qué eliminar incógnitas que pueden ser la base de muchas ilusiones?[19]

Abundando en este mismo tema, que suscitó en la revista *Destino* una larga polémica, la señorita X. escribía el 21 de septiembre de 1946:

> Es absurdo colocar a la mujer fuera de su centro, que es el hogar, fomentando unas ideas que forzosamente han de desplazarla y desorientarla. Si distinta es la mujer del hombre, distinta ha de ser su educación... y sabemos hasta qué punto el hombre se desanima al ver los resultados de una persistente camaradería.[20]

La condena de una camaradería sincera y sin trabas late también en el fondo de la cautela con que en las publicaciones de Sección Femenina se suelen aconsejar los estudios universitarios para una chica. Naturalmente no se proscribían, pero se rodeaban de salvedades o se idealizaban con una retórica superflua, cuya ñoñería resulta a veces inaguantable:

Se han abierto de nuevo las puertas de las viejas y vetustas Universidades. Por ellas entra un tropel de muchachas con el semblante sano y la piel bronceada... Su paso deja en el ambiente cálidos olores de algas marinas y de tomillos y espliegos... ¿Podrán decir los que las contemplan que los estudios han borrado su feminidad? ¡No y mil veces no! La mujer es como la rosa, que por más cuidados que le dedique el jardinero, jamás podrá convertirla en clavel..., nunca cambiarla de especie.[21]

El Estado se sentía en la obligación de velar por la conservación de esa especie y por la integridad moral de las provincianas que se desplazaban a otra ciudad más importante para emprender una carrera universitaria. Las residencias para señoritas, traspasadas de ese celo, tenían en sus estatutos y en sus horarios cierto tufillo de colegio de monjas. Dependientes del Ministerio de Educación Nacional y supervisadas por la Delegación Nacional de Falange Femenina, se regían por normas que ponían el acento más que en las condiciones idóneas para el estudio, en la formación moral de las residentes, con vistas a su posterior actuación en la vida familiar; y solían contar con un asesor religioso. Con ocasión del nombramiento para tal cargo, en uno de estos centros madrileños, del padre Félix García Vielba, se escribió:

> Arraigada tradición española ha sido considerar las residencias de estudiantes como centros de formación moral y religiosa. El espíritu del Movimiento tiende a restaurar esa concepción, devolviendo a aquellos valores su puesto de preferencia.[22]

En las palabras «restaurar» y «devolver» que aparecen en este texto otra vez asoma la alusión temerosa a épocas recientes del pasado donde el estudio no iba asociado necesariamente con la religión, ni era considerado como un adorno más en el ajuar que la mujer aportaría un día al matrimonio. Ahora se recomendaba la prudencia en el estudio, como si se tratara de una droga peligrosa que hay que dosificar atentamente y siempre bajo prescripción facultativa. A los primeros síntomas de que empezaba a hacer daño, lo aconsejable era abandonarla. Y el primer aviso de tales síntomas, aunque en la práctica resultara difícil de detectar por su carácter abstracto, nuestros consejeros de la Salud Pública femenina lo hacían coincidir con el más leve menoscabo de aquellas exquisitas esencias tan traídas y llevadas de la feminidad.

No nos parece mal este avatar que transforma a la inútil damisela encorsetada en compañera de investigación. Pero a nadie más que a ella es necesario un freno protector que la detenga en el momento en que una desaforada pasión por el estudio comience a restar a su feminidad magníficos encantos... Nos asusta tanto para mujer propia o simplemente para amiga leal la mujer que calla sin atreverse a formular controversia como aquella otra que sabe tanto como nosotros y no nos mira con admiración cuando le explicamos un tema de mecánica o geopolítica. Y, puestos a elegir, preferimos a aquella callada y silenciosa, que nos considera maestros de su vida y acepta el consejo y la lección con la humildad de quien se sabe inferior en talento.[23]

De forma bien tajante lo había establecido Pilar Primo de Rivera en su catecismo particular. A las que pretendieran surcar los aires del saber con vuelo tan seguro y ambicioso como el del varón convenía cortarles las alas.

Las mujeres nunca descubren nada: les falta desde luego el talento creador, reservado por Dios para inteligencias varoniles; nosotras no podemos hacer nada más que interpretar mejor o peor lo que los hombres han hecho.[24]

Eso sí, nos quedaba a las mujeres el inmenso consuelo de nuestro pequeño «ingenio mecánico», de nuestra dulzura ante las torpezas o asperezas de aquellos grandullones, a las que generalmente se alude con una clemencia que tiene mucho de maternal. Y con esto volvemos, que tendremos que volver muchas veces, al tema de la sonrisa como panacea:

Sonríe dulcemente sin enfadarte... y diles cuantas veces necesitan de tu «pequeño ingenio mecánico» para el funciona-

71

miento de su casa, de tu genio musical para cantar al niño, de tu cirugía para curarles cuando se cortan y ponen el grito en el cielo, y de tu filosofía para consolarles cuando su ciencia les falla.[25]

Pero no era solamente el fantasma del feminismo el que se agazapaba detrás de estos consejos represivos. También se temía una vuelta a las andadas si cundía la subversión de valores que podría derivarse de la vulgarización de los estudios universitarios para chicas de clase social inferior. A ellas especialmente abría los brazos, como sucedáneo de la universidad, la maternal Sección Femenina, declaradamente racista en alguno de sus textos:

> La vocación estudiantil en las mujeres no debe ser ensalzada a tontas y a locas... La S.F. ha desviado la atención de la mujer hacia profesiones netamente femeninas. Ha dignificado la profesión de enfermera, ha creado el profesorado de las Escuelas del Hogar... y hasta en el trabajo manual y de Artesanía ha creado para la mujer una serie de trabajos remunerados y exquisitos redimiendo a tanta mujer del pueblo del difícil y cansado camino de los libros.

En el mismo texto, un poco más abajo, se habla ya sin ambages de quiénes eran las «elegidas», las estudiantes «cien por cien», y no en nombre –como sería de esperar– de un mayor grado de competencia o interés hacia la carrera en que se habían matriculado, sino con arreglo a su aspecto y a su cuna, que las obligaban a ser más «exquisitamente femeninas» que las demás. La «elegida» era

> esa muchacha de aire deportivo y alegre, de familia intelectual cuyo medio la lleva a refinarse... sin abandonar su ser exquisitamente femenino... que es ante todo preparación del hogar, modales suaves y pureza de pensamiento y costumbres.[26]

Y si de este cariz eran las cortapisas para que llegara a cuajar una médico, abogado o profesora de Filosofía realmente competente, ya no se diga nada del miedo a que una mujer se mezclara en política. Había que aceptar sin más preguntas que la única española a quien Franco consentía pronunciar discursos y venir retratada en los periódicos como jefe de una asociación política, a lo que se estaba dedicando con mayor empeño era a despolitizar a las afiliadas a su partido y a imposibilitarlas para discutir ningún asunto de fuste con sus «camaradas». Lo dijo así textualmente en una de sus arengas:

> A las Secciones Femeninas, mientras menos se las vea y menos se las oiga, mejor. Que el contacto con la política no os vaya a meter a vosotras en intrigas y habilidades impropias de las mujeres. Nosotras atendamos a lo nuestro y dejemos a los hombres, que son los llamados para que resuelvan todas las complicaciones que lleva en sí el gobierno de la Nación.[27]

Y en otra ocasión, contestando a una entrevistadora que le preguntó si consideraba a la mujer tan dotada como el hombre para las funciones públicas, puntualizó Pilar:

> Siempre que se limite a colaborar con él y a no tener iniciativas propias.[28]

Los nombres «tristemente famosos» de aquellas republicanas discurseadoras como Victoria Kent, Margarita Nelken, Federica Montseny o Dolores Ibárruri, que habían abjurado de su feminidad en aras de un quehacer que no era de su incumbencia, solamente volvieron a ser mencionados en la postguerra para escarnecerlos y presentarlos a manera de espejos negativos en los que ninguna mujer de bien debía mirarse. Porque de la pasión por una idea se podía llegar incluso al crimen. Y a este respecto, ninguna evocación capaz de ser manejada de forma más esperpéntica y eficaz para estremecer las conciencias femeninas que la de Aurora Rodríguez Carballeira, la madre de Hildegart,

> aquella nietzchiana dama roja de los paseos eugenésicos por las rondas de Madrid en pos del garañón padre, ideal del superhombre que quiso concebir. Y que Dios no quiso que concibie-

ra cuando, como escarmiento, le dio una hija –la señorita Hildegart–, que se llegó a aburrir de tantas filosofías, de tantas letras, tantas Casas del pueblo, tanta sierra de Guadarrama y tanto círculo federal y fue a morir de aburrimiento y de ocho navajazos cuando su dulce mamá... descubrió en ella no al superhombre soñado sino a la mujercita que –¡oh maldición!– se había enamorado. Que es una de las tres únicas cosas serias que puede hacer una mujer. Las otras dos, ya sabéis, son coser la ropa de su marido y darle todos los hijos que se ofrezcan.[29]

Acerca de estas tres únicas «cosas serias» que, según tan burdo resumen, podía hacer una mujer, nadie le proporcionó a la jovencita de postguerra receta o información esclarecedora alguna más que para llevar a cabo la segunda. No porque el amor y la maternidad dejaran de ser temas mencionados y exaltados hasta la náusea, sino porque la retórica ambigua que los glorificaba al unísono, no solamente no proporcionaba datos concretos para captar sus respectivas esencias, sino que más bien la única noción que lograba a veces sacarse en consecuencia era la de que se trataba de fenómenos contradictorios e irreconciliables. La mayoría de las preguntas dirigidas a los consultorios sentimentales partían, como veremos en su lugar, de la incertidumbre de la chica casadera en busca de puntos cardinales para desempeñar de forma ortodoxa aquellas dos funciones antagónicas de enamorada y de madre que se veía obligada a representar sin que nadie le enseñara cómo. A coser sí. A coser la enseñaban desde muy pequeña. Y a bordar y a remendar y a calcetar y a hacer vainica. Sobre estos temas, además, se podía pedir por oral o por escrito la información más exhaustiva, llamando al frunce y al bodoque, que nadie iba a afearle a una mujer tal curiosidad ni a dejarla insatisfecha, todo lo contrario. Tal vez bastaba, pues, con aplicarse a perfeccionar las labores de aguja. Los hombres, al parecer, se enamoraban de las chicas que cosían más que de las que se entregaban a cualquier otra actividad.

Amamos a la mujer que nos espera pasiva, dulce, detrás de una cortina, junto a sus labores y sus rezos. Tememos instintivamente su actividad, sea del tipo que sea.[30]

El hombre era un núcleo permanente de referencia abstracta para aquellas ejemplares penélopes condenadas a coser, a callar y a esperar. Coser esperando que apareciera un novio llovido del cielo. Coser luego, si había aparecido, para entretener la espera de la boda, mientras él se labraba un porvenir o preparaba unas oposiciones. Coser, por último, cuando ya había pasado de novio a marido, esperando con la más dulce sonrisa de disculpa para su tardanza, la vuelta de él a casa. Tres etapas unidas por el mismo hilo de recogimiento, de paciencia y de sumisión. Tal era el «magnífico destino» de la mujer falangista soñada por José Antonio.

IV. LA OTRA CARA DE LA MONEDA

Frente al ideal de la mujer austera y recatada preconizado por la Sección Femenina de Falange, se desarrolló a lo largo de la década de los cuarenta otro tipo de chica soltera, igualmente deseosa de pescar marido y de características también muy «sui generis», aunque totalmente antagónicas: la «niña topolino».

Las primeras alusiones burlescas a la niña topolino, mimada, vacua y gastadora y a los nuevos giros lingüísticos que puso en circulación, aparecen en *La Codorniz,* semanario humorístico dirigido por Miguel Mihura y cuyo número inicial se publicó el 8 de mayo de 1941.

Adelantemos, ya que viene a cuento, que la aparición de *La Codorniz* –subtitulada «la revista más audaz para el lector más inteligente» – merece ser destacada como uno de los pocos acontecimientos culturales de cuño propio con la repercusión suficiente para empezar a demoler los tópicos que amenazaban con asfixiarnos y para ayudarnos a poner los dogmas oficiales en tela de juicio. Por la ventana de *La Codorniz* entró el aire saludable y desmitificador que poco a poco fue limpiando de telarañas trascendentales la mente de los jóvenes de postguerra. Aparentemente inocua e intranscendente, atacaba el engolamiento y la cursilería desde el único terreno que la censura podía considerar menos peligroso: el del humor ligero y un poco absurdo.

El humor es un capricho, un lujo, una pluma de perdiz que se pone en el sombrero *–declaró Miguel Mihura cuando fundó la revista, sin duda consciente de que tenía que hacerse el tonto para* *ser tenido por tal–* ... No se propone enseñar o corregir porque no es esta su misión ... El humor es verle la trampa a todo, darse cuenta de por dónde cojean las cosas, comprender que todo tiene un revés ... El humorismo es lo más limpio de intenciones, el juego más inofensivo, lo mejor para pasar las tardes.[1]

No dijo, porque de haberlo dicho se le habría hecho trizas el invento, que era, sobre todo, el único juego de tipo intelectual que tal vez podía colar. Por eso coló, aunque entre escollos y reticencias, atreviéndose a hacerle competencia al fútbol y al parchís, aquel juego como de tontilocos, el único que, burla burlando y mediante sutiles distorsiones de la realidad, supuso un reconocimiento en letras de molde del absurdo. Lograr hacer comprender que todo tiene un revés, en una época como la del primer franquismo donde solo se nos enseñaba la cara de la moneda a la que se había sacado brillo, no podía motejarse precisamente de juego inofensivo, sino más bien audaz, como rezaba su subtítulo. Y aquella audacia fue la clave de su popularidad. A los pocos meses de su aparición, *La Codorniz* había cosechado tantos adictos en un amplio sector de la juventud ansiosa de estímulos contra la modorra como detractores entre la gente que tenía a gala tomarse la vida en serio y hacerse respetar con un simple carraspeo. Era como un globito rojo que se le hubiera escapado de las manos a un niño en pleno desfile de la Victoria, y algunos lo miraban subir con recelo pensando que podría contener dinamita. A la generación de nuestros padres aquel humor disparatado de *La Codorniz,* que paulatinamente iba dejando su huella en el lenguaje y el criterio de los jóvenes, no solamente no le hacía gracia sino que le inquietaba. A veces incluso los sacaba de quicio, aunque no se rebajaran a confesarlo y se limitaran, en general, a un menosprecio de dientes para afuera. «Yo no entiendo cómo os podéis reír con esa paparrucha», solían comentar airados, apartando la revista de un manotazo, después de haberla hojeado. Y a la semana siguiente, cuando se la volvían a encontrar indefectiblemente encima de la camilla: «¿Pero es posible? ¿Ya habéis vuelto a comprar esa paparrucha?».

Y sin embargo, muchas cosas y muchas ideas tenidas por intocables estaba sometiendo a revisión aquella paparrucha. Uno de sus más apasionados defensores la definió como:

> ... caso de reacción de hastío cultural perfectamente orientada hacia un fin concreto: la revisión y depuración de gran parte de nuestros valores intelectuales y costumbres tenidos por definitivamente valederos. Leer *La Codorniz* –añadía– se considera generalmente tanto delito contra el sentido común como el que hace unos años se imputaba a quienes tenían la osadía de defender el arte de Picasso o la música de Ravel.[2]

Pronto se vio efectivamente que aquella revista impresa en papel mediocre coloreado en tonos ocre y ladrillo, donde los monigotes de Herreros, Tono y Mihura ponían en solfa al nuevo rico, a las niñas casaderas y a las señoras gordas que van de visita, era, sobre todas las cosas, un fenómeno de vanguardia. Y, como consecuencia, polémico. Leer *La Codorniz* era lo más moderno que había y compartir aquella afición con otros jóvenes era como ir constituyendo un núcleo de modernidad, un albergue precario y provisional, pero muy placentero, desde el que nos atrevíamos a reírnos de tanta antigualla como nos querían a todas horas meter con cucharón. Era particularmente excitante comentar los textos de *La Codorniz* con una persona del sexo contrario, porque la complicidad de aquella risa demolía, entre otras cosas, las fórmulas y rodeos prescritos como riguroso preámbulo para llegar a una cierta intimidad con el chico que acababan de presentarte. La pregunta de «¿A ti te gusta *La Codorniz*?», una de las pocas que podía ser formulada a bocajarro por una chica sin detrimento alguno de la modestia, servía de globo sonda sobre la incógnita personalidad del muchacho que nos había sacado a bailar o había estrechado por primera vez nuestra mano. Y la respuesta, tanto si se prefería que fuera positiva como negativa, era esperada con una ansiedad casi clandestina. Daba mucho juego, ya lo creo, *La Codorniz*. Daba mucho pie. Le ponía a uno en la órbita de la disensión con su humor desorbitado, que a lo que invitaba precisamente era a disentir.

En el seno de una sociedad progresivamente despolitizada por puro hastío y condenada a asentir, las polémicas sobre *La Codorniz,* que a veces alcanzaban un tono realmente virulento, servían de desagüe verbal al ardor de una juventud para la que estaba vedado otro tipo de discusiones más serias. Por fin podíamos quebrar el «silencio entusiasta» y entusiasmarnos en alta voz por algo que no nos concernía directamente, que había venido a convertirse en una sustitución de la «res publica».

Y desde las altas cumbres del monólogo oficial, se nos empezó a poner en guardia. Bajo aquel humor «que le veía la trampa a todo» se incubaba el veneno del nihilismo, uno de los ismos más temidos por el Régimen, aunque eran muchos:

> *La Codorniz* se sitúa, en su tesis pedagógica, no ya en el campo del más sombrío pesimismo, sino en el de un aterrador nihilismo, y la única esperanza de que puedan ser detenidos sus efectos destructores es la posibilidad de que la actual generación no la entienda, aunque la alabe.[3]

Pero el entendimiento del humor no era como el entendimiento de los dogmas, se introducía mucho más inadvertidamente, mucho más lentamente y sobre todo a través de canales menos localizables. Se escabullía, se quitaba todas las etiquetas que le quisieran colgar, se reía de ellas. Y en un momento como aquel de definiciones estrictas, donde lo blanco no podía ser más que blanco y lo negro más que negro, aquel duendecillo gaseoso que se desvanecía ágilmente por entre los barrotes de las definiciones y tenía su cuartel general en tierra de nadie constituía un guerrillero molesto y descarado.

No es de nuestra incumbencia hacer un estudio detallado de *La Codorniz* ni de los forcejeos que tuvo que mantener con la censura.[4] Pero lo cierto es que siguió viviendo mucho tiempo. Al cumplirse los quince años de su publicación, Lorenzo Gomis escribía:

> Todos los españoles que saben leer deberían hacer un par de veces al año su «cura de *Codorniz*». Mengua la leve o grave

hinchazón de nuestros pensamientos..., conserva flexible y ágil la línea del espíritu... La vieja *Codorniz* hizo una labor educativa en materia de costumbres y lenguaje. El humor actúa sobre la mentalidad social. En el humor autocrítico de Herreros hay, no solo gracia, sino también justicia.[5]

Precisamente por la revolución que supuso en materia de costumbres y lenguaje es por lo que resulta imprescindible la consulta de *La Codorniz* para el análisis de los usos amorosos de la época, y por lo que tendrán que salir en este trabajo muchas citas de aquella divertida revista, que nos enseñó, como su primer director pretendía, a entender que todas las cosas tienen su revés. Lo cual no quiere decir que a aquel revés no se le vieran también sus ridiculeces y sus fallos ni que se nos presentara como panacea. También, como el envés, tenía su trampa.

Para poner un ejemplo, y enlazar, de paso con el tema que ha dado lugar a estas consideraciones sobre el humor, la niña «topolino», primer espécimen femenino donde alentaban las ansias de la futura sociedad de consumo, era tan caricaturizada como su envés, la muchacha hacendosa y convencida de que la mejor fórmula para encontrar un novio era la de no desconocer una sola receta casera ni perder ocasión que le diera pie para lucir aquellas habilidades.

Parodiando este despliegue de sabiduría doméstica como forma de ataque inmediato frente a la posible víctima matrimonial, en el relato «Almuerzo de amor», se nos presenta a dos jóvenes, Abelardo y Julita, que se conocieron en una casa de Badajoz, invitados a una comida que la señora Suárez daba con motivo de su cumpleaños:

> Se quedaron charlando y en un momento dado, Julita observó que a Abelardo se le había caído una gota de aceite en la solapa. Entonces se levantó la gentil criatura, fue a la cocina y volvió con un tazón de agua hirviendo. Y, mojando una servilleta en el agua... le quitó la mancha. Después... le explicó que ella hacía una ternera estupenda, colocando la ternera en una cazuela con 50 grs. de mantequilla, que cuando la ternera estaba do-

rada le echaba un diente de ajo machado con una hoja de laurel y luego lo tapaba y lo dejaba cocer durante dos horas.

Poco a poco, y alentada por el encogimiento del joven, va tomando confianzas, le pide que le deje plancharle las rodilleras de los pantalones, le zurce un calcetín, le lava la cabeza porque le ve algo de caspa en la chaqueta, e invita a todas las visitas asistentes a la escena a que comprueben lo limpia que le ha quedado. La dueña de la casa parece haber quedado muy satisfecha del examen.

A usted lo que le convenía era casarse con Julita –le dijo a Abelardo la señora Suárez... Todos los invitados salieron discretamente del gabinete y los dejaron solos.[6]

Muy otros eran los métodos de la niña topolino, como tendremos ocasión de ver en seguida. Pero me parece que conviene, antes de presentarla, rastrear los orígenes de su denominación. Asociada en principio a la marca de un coche pequeño y funcional de la casa Fiat, la palabra «topolino» (que significaba «ratoncito») sufrió en seguida un desplazamiento semántico y pasó a designar cierta innovación en el calzado femenino que hizo furor entre las chicas «ansiosas de snobismo». Los zapatos topolino, de suela enorme y en forma de cuña, a veces con puntera descubierta, fueron recibidos con reprobación y algo de escándalo por la mayoría de las madres, que los llamaban con gesto de asco «zapatos de coja», aludiendo a su aspecto, en verdad un tanto ortopédico. Aquella suspicacia ante la moda nueva, demasiado unánime y visceral como para ser pasada por alto, tenía en el fondo una razón de ser más profunda que las que se invocaban para el rechazo.

Aun antes de que los zapatos topolino hubieran propagado su denominación a las chicas que desafiaron el criterio tradicional poniéndolos de moda, ya se adivinaba el temor de que aquella pueril revolución del calzado se subiera de los pies a la cabeza, como efectivamente ocurrió. Y no porque se tratara del paso de un modo de calzarse a un modo de pensar, ya que la niña topolino, si se caracterizó por algo fue por tener la cabeza más bien a pájaros. Y como todo producto de una moda determinada era demasiado fácil de caricaturizar.

> ... una de tantísimas Mari-Cuqui-Tere-Isa-Bobi-Bel, de esas cargantes caricaturas vivas, tontas de siete suelas y pulgar libre, impermeable de celofán, faldita muslera, «rubios» de Camel y de papá, gafas de chófer 1985, aprendizas de animadora sin ánimo.[7]

La verdad es que hablaban sin ton ni son y que no animaban a nadie. Pero aquel mismo atolondramiento exhibido con desenfado podía considerarse –y era lo que más escamaba– como un conato de enfrentamiento con otros modelos de conducta regidos por la prudencia y la sensatez. Aquellas chicas de cabeza de chorlito «desentonaban» en una sociedad que exhortaba a las mujeres a mantenerse en un segundo plano, a no hacer avances, a no llamar la atención por nada. Ni en modas ni en modales. Adoptar atuendos chocantes, reírse a carcajadas, fumar o emplear una jerga similar a la de los chicos era de mal tono. El «buen tono», expresión empleadísima, abarcaba tanto el aspecto como la formación espiritual de las clases dirigentes. De la muchacha que se vestía con un traje clásico y los zapatos y guantes a juego, se decía con aprobación que iba «muy entonada».

Los zapatos topolino desentonaban. No solo porque, al ser extravagantes y además caros, supusieran un doble atentado contra la discreción y contra el sentido del ahorro, sino porque su factura audaz e informal, un poco tipo Hollywood, insultaba el buen gusto que habían ostentado tradicionalmente las españolas para poner de relieve los primores de su pie pequeño y aristocrático, aprisionado en fundas de raso o tafilete.[8] Y en este sentido, no era difícil percibir en aquella polémica sobre el calzado de «pulgar libre» y sus usuarias un tufillo de cariz clasista, que guardaba bastante relación con la condena de todo estilo que oliera a plebeyo. Muchas de las chicas que merecieron el calificativo de «topolino» por llevar aquellos zapatos grandotes y exagerados no pertenecían a las buenas familias de toda la vida, eran de las

que se creían marquesas en cuanto se montaban en un cochecito funcional:

> Si posees un cochecito de poco precio, guíalo tú misma. Y
> si el hijo de la portera se ofrece para ser tu chófer, no pretendas
> que te haga una reverencia ni que se quede con una mano en la
> empuñadura y la gorra en la otra. Para esas exhibiciones no bas-
> ta un «topolino». Hace falca un Hispano-Suiza o un Rolls
> Royce. Si vas en el coche de un amigo y quieres dártelas de mu-
> jer acostumbrada a ir en coche, no digas «esta carrocería tiene
> una buena suspensión», o «este motor tiene una reprise rápi-
> da». Son expresiones que emplean ya todas las coristas y todas
> las acomodadoras.[9]

En el desdén por los modales sueltos y ostentosos de aquellas chicas que se las daban de modernas y no eran más que unas
«snobs» había también una punta de alarma. La misma que
provocaba el crecimiento irreversible de una burguesía apareci-
da de la noche a la mañana y que se abría paso a codazos entre
la gente de apellido ilustre. Aquellos nuevos ricos avasalladores
y sin escrúpulos, caricaturizados por Tono, Mihura y Herreros,
estimulaban a sus hijas en el afán de «estar a la última», las vestían con los modelos más llamativos de Balenciaga y las presen-
taban en sociedad a bombo y platillo, sin reparar en gastos. En
una palabra, estaban contribuyendo a crear, con su ejemplo, una
generación de jóvenes para quienes el «buen tono» era un asunto mucho más deleznable que el dinero.

> ... El dinero, que tan importante papel desempeña en la
> juventud «topolino», cuya capacidad adquisitiva, en pugna
> encarnizada con nuestros tiempos difíciles, se resiente lamen-
> tablemente ante las exigencias del bien vestir y del bien pare-
> cer.[10]

En el mismo artículo de donde ha sido tomada esta cita se da
también el nombre de «swing» al movimiento anárquico que
empieza a hacer estragos en la juventud española, cuyo atrope-

llo de la circunspección se achaca a la perniciosa influencia del cine americano, donde los protagonistas pueden con toda impunidad poner los pies sobre la mesa, cambiar de pareja o llevar gabardina en un día soleado. La ruptura con la formalidad era el distintivo, en efecto, de aquel «american way of life» tan atractivo como desaconsejado, y a este respecto es muy significativo que a las chicas de las que venimos hablando se las llamara con frecuencia, además de «topolino», «niñas swing», aludiendo a una nueva danza que, junto al bugui-bugui, se introdujo en la España de los cuarenta y que escandalizaba por la arritmia de sus cabriolas:

> ¿Es que nosotros hemos de hacer cabriolas como cualquier payaso cervecero de los de «por allá»? ... De cada cien piezas que toca el combinado orquestal, lo menos ochenta y cinco son bugui-bugui, «swing» y cosas de esas llegadas del dinámico país de los Lie Sherindan ... No es de buen gusto imitar a los salvajes del centro de África o a los hombres de color que hacen alarde de las libertades que disfrutan al pie de los rascacielos neoyorquinos.[11]

De alarde de libertad era de lo que pecaban también algunas cintas americanas, cuyo simple título sugería ya una tentación de irresponsabilidad y una propuesta de goce. *¡Qué bello es vivir!, Lo mejor de la vida, Vivir para gozar, El placer de vivir* y *Vive como quieras* fueron películas criticadas por su frivolidad y su feroz individualismo. En ellas, como decía un texto,

> ... se entiende por vida una postura de la cual se alardea de forma extravagante, que rompe con lo estatuido..., que se considera como tiranía, para afirmar los propios derechos del hombre.[12]

Por supuesto que estas historias del celuloide, donde se daba por sentado el derecho a la felicidad terrenal, contenían una afirmación de signo muy diferente para la España del «bendito atraso» que para el mundo capitalista que las había inventado.

Reflexionando sobre *Vivir para gozar* y *Vive como quieras,* comenta un autor:

> Ambas tienden a mostrar la inquietud del hombre americano por salir del vivir mecanizado y económico en que se halla sumido. Su trama parece delatar un tenue pero acaso irreversible cansancio de tanta «prosperity», de tanta acelerada carrera hacia la fortuna.[13]

En las historias inventadas o vividas por nuestros paisanos, era difícil leer ni al derecho ni al revés, un cansancio de «prosperity». Se ambicionaba de forma desaforada, se envidiaba subrepticiamente o se condenaba como origen de todos los males. Pero nadie podía estar cansado de lo que no tenía, y menos que nadie los que empezaban a probarlo y a imponerlo: los nuevos ricos. Los personajes de Frank Capra no eran nuevos ricos, sino ricos marginales que tal vez empezaban a aburrirse de serlo y añoraban otra cosa. Fabricaban cohetes o tocaban la armónica, pero vivían en casas modernas y confortables, aunque se olvidaran de pagar los impuestos. Nos hacía gracia su despiste, nos enamoraban, pero para nosotros aquella propuesta del «vive como quieras» era un sueño irrealizable. Absurdo.

Las comedias americanas (o «americanadas», como solían llamarlas con desdén las personas mayores) eran, sobre todo, divertidas e intrascendentes. Nadie pronunciaba en ellas frases lapidarias de las cuales tuviera que arrepentirse, y el amor no era asunto de vida o muerte sino un ligero entramado de casualidades sujeto a mudanza.

> Un sentido de lo cómico inaceptable, una psicología infantil de todo punto bochornosa y una moral decadente y asexuada son las tres formas de ser que el cinema internacional expone diariamente a nuestro pueblo.[14]

La moral asexuada, de que habla este texto, se refiere a que las relaciones con el sexo contrario propuestas por aquel tipo de cine desustanciaban el amor, al dejarlo exento de amenaza, de aquella connotación de «estar jugando con fuego» expresada en la canción española que decía: «Niña Isabel ten cuidado / donde hay pasión hay pecado.» Aquellas niñas sin fuste, que «cambiaban de novio como de camisa», según decían las señoras, habían perdido tanto el sentido del pecado como el de la pasión. Hasta podían perder a un novio sin darse cuenta. Pero es que ni era novio ni era nada. Era un tal Lolete. Así lo satirizaba un artículo de *La Codorniz*:

> Y ahora que hablamos de novios. Ayer me pasó una cosa horrible. ¡Perdí a Lolete! Era mi último novio, ¡imagina!
> —Te lo dejarías olvidado en algún cine.
> —Eso creía yo. Pero esta mañana llamé por teléfono a todos los sitios, y nadie me supo dar razón. «¿Pero no han visto ustedes al limpiar un muchacho coloradote con corbata amarilla y suela de corcho?» –insistí–. Y nada, hija, ¡ni rastro!
> —Lo cogería alguna desaprensiva y se quedaría con él. Pasa mucho.
> —¡Yo tengo una cabeza para los novios! Voy pensando en las ropas, y claro, me dejo el novio en cualquier paragüero.[15]

Esta dislocada caricatura podría haberse aplicado igualmente a muchas películas norteamericanas a las que se atribuía «un sentido de lo cómico inaceptable y una psicología infantil de todo punto bochornosa». Para censurar tanta trivialidad, la prosa oficial, a la hora de oponerle ejemplos españoles de gravedad y transcendencia, no sentía empacho en sacar a relucir incluso a Unamuno, atribuyéndole la creación de hombres «de carne y hueso» (que es lo que precisamente nunca supo crear Unamuno) y pasando por alto que su filosofía estaba en entredicho, como lo había estado él mismo en los últimos meses del año 36.

> Asoman a nuestras pantallas unas vidas entretenidas en filigranas burguesas, tan decadentes y lejanas del hombre de carne y hueso unamunesco, del que siempre nos gustaría oír hablar, que muchos de nuestros espectadores han llegado a creer que esos hombres «como llovidos» que comen cacahuetes y dicen

O. K. son, al igual que esas señoras madelónicas y sin espíritu que cotorrean en la barra del bar, ejemplares dignos de tenerse en cuenta a la hora de los ejemplos.[16]

En la versión hispánica de esas señoras madelónicas y sin espíritu, estas dedicaban sus ocios al «pinacle» o a la canasta y a ir a ver con abrigos de astracán las revistas de Celia Gámez. A ellas se achacaban los vicios de educación que contribuían a la irresponsabilidad y falta de principios de la juventud moderna.

> No se puede criticar siempre a estas muchachas «topolino» de vida más o menos discolada ... Sus madres o sus hermanos declinan la responsabilidad, se hacen los suecos, no quieren saber nada ... Es más sencillo culpar al tiempo en que vivimos, a la vida que siempre desmoraliza, a la falta de fuerzas para imponerse ... Las familias «sueltan» a las topolinos porque es más fácil que sujetarlas.[17]

Fuera porque las soltasen o fuera porque se soltasen ellas, lo cierto es que aquellas chicas habían conseguido vivir menos sujetas y que se habían liberado de ciertos prejuicios, si no para sustituirlos por juicios que enriquecieran su inteligencia, sí para implantar en las costumbres y en el lenguaje una serie de modificaciones, no por triviales menos dignas de ser tenidas en cuenta a la hora de hacer un repaso de los usos amorosos de la época. La influencia de estas modificaciones, por supuesto, no traspasó nunca el ámbito de una élite que no pasaba hambre. Las chicas «topolino» manejaban dinero o estaban rodeadas de gente que lo manejaba. Ganarlo, en cambio, nunca se les pasó por la cabeza. Cuando asistían a la universidad, que alguna llegó a hacerlo, era como pretexto para salir más y exhibir toilettes más caras que las de sus compañeras. Poco a poco, también allí, iban siendo detectadas como un género aparte.

> Existe Marichu con su sastre maravilloso, sus zapatos abotinados, soberbios, de suela de crepé y su impalpable y rubia melena, muy standart toda ella, muy topolino.

−¿Por qué estudias, Marichu? ¿Te interesa lo que estudias o vas a trabajar luego?

−Ni lo uno ni lo otro. Esto me divierte, es un pretexto para salir, en casa no les parece mal.[18]

No les parecía mal, sobre todo porque pensaban que soltándolas iban a librarse más pronto de ellas, a traspasárselas a un marido papanatas de los que se alucinaban con aquel conato de «modernidad», un marido de precio.

En el Madrid de postguerra, vivero de aquellas nuevas libertades de pacotilla, las topolinos solían reunirse con sus amigos en bares de la calle de Serrano y sus alrededores, barrio que tal vez por eso se empezó a llamar «el tontódromo». Lo mismo podía haberse llamado el «listódromo», si se tiene en cuenta que también para los estraperlistas y los negociadores de permisos de importación pagados a peso de oro era lugar habitual de cita.

La actividad real del Ministerio de Comercio −*ha escrito un autor*− se había trasladado en parte al café Roma, Serrano esquina Ayala. Allí se movían los intermediarios influyentes, dispuestos a resolver la adjudicación de permisos, licencias, cupos y todo lo que hiciera falta.[19]

Estos señores dinámicos, totalmente decididos a saltarse a la torera las prédicas sobre la vida difícil y sus excelencias, daban buenas propinas, se vestían en los mejores sastres, fumaban puros y si tenían chófer le llamaban de tú por su nombre de pila, igual que al camarero o al limpiabotas. Eran los padres de la generación topolino. Que no solamente estaba compuesta por hijas, como es natural, aunque se hablara más de ellas, sino también por hijos.

Como grupo generacional se les achacaba que estaban contribuyendo peligrosamente a hacer menos perceptible la barrera entre los sexos y a perderle el respeto a las ceremonias. Tanto ellos como ellas tendían a emplear un lenguaje superlativo. Decían mucho «formidable», «sensacional», «bárbaro», «es un poema», «¡qué burrada!», «¡cómo me apetece!», «no hagas el ganso», «bestial» y «fenomenal», en un tono gangoso y displicente que arrastraba las últimas sílabas y las dejaba resonando como dentro de una vasija hueca.

> Emplea parcamente los superlativos –*aconsejaba* La Codorniz–. «Bello» dice mucho más que «Bellísimo». Espléndido, estupendo, fantástico, simpático y formidable son como los cien reis del Brasil: prometen mucho pero valen poco... No digas «este helado es un poema». Hoy día nadie lee poemas.[20]

Lo que les apetecía era «potable», lo que no les divertía era un tostón, una laca o un asco. Preferían «estar en plan» a ser novios, y ellos presumían ante ellas de «no dejarse cazar». Firmaban cuentas a nombre de papá, hablaban mucho de coches y de motos y encontraban anticuado llamarse Carmen o Pedro, preferían apodos menos distintivos del propio sexo, como por ejemplo Chu y Polito.

Acerca de estos arquetipos de la generación topolino, los antagonistas de Julita y Abelardo, alguien, que se sentó a tomar un aperitivo cerca de ellos cierto día de verano en un aguaducho de la Castellana, esbozó la siguiente caricatura:

> Chu parecía una muchacha monilla, y digo parecía porque sus grandes gafas no dejaban ver más que la mitad de su cara. La otra mitad a veces se cubría también por una melena lacia de pelo revuelto. Polito era un muchacho bien vestido pero llevaba unos cuellos extremadamente altos. Chu y Polito estaban enzarzados en una conversación salpicada por el humo de los rubios (así llamaba él a los cigarrillos que ella sacaba de su bolso)... Aprendí entre otras cosas, que se llama «plan» a algo así como las relaciones formales entre hombre y mujer, pero quitándoles previamente la formalidad. Que la vida es un asco... Que Polito es un sol... Que Serrano se está poniendo en un plan insoportable porque también es un asco. Que el papá de Polito tiene un coche, pero que es un asco que el padre trabaje tanto, porque apenas lo puede usar Polito para sus planes. Que Polito estudia una carrera... pero que no le interesa ni pizca.

Que quiere comprarse una moto para «hacer el burro». Que tanto Chu como Polito hablan al camarero de tú y que el camarero les contesta empleando el usted. Que a Polito no le cazan así como así y que ya tiene que ser inteligente la chica que lo consiga. Que el esmalte de uñas es un asco. Que los amigos de Polito son insoportables y tostones... Que habían tomado unas combinaciones y varias cervezas y gambas y aceitunas y cigalas. Que el camarero debía apuntar el gasto en la cuenta de Polito. Que Polito se había fumado todo el tabaco de Chu. Por último pude comprobar, cuando se marcharon, que me quedé mucho más a gusto y que, afortunadamente, el género de Chu y Polito abunda poco en España.[21]

Desde luego más que el género en sí (escaso como género de lujo que era) abundaban y tal vez contribuían a engrosarlo los avisos para poner en guardia contra él y los comentarios interpretativos del fenómeno. Rastreando sus orígenes, en la «topolinez» masculina se veía, por ejemplo, con alarma:

> ... una reminiscencia... de aquellas otras juventudes cuyos miembros lo fueron de lechuguino, petimetre, pisaverde, etc., y ya más cerca de nuestro tiempo de «snob».

Personajes todos ellos que en épocas lamentables de nuestro pasado habían puesto en peligro la tradicional esencia de la hombría española.

> Se nos antojan excesos como la pantomima de una hombría, en rudo contraste con nuestro concepto de la virilidad, más traslucida en hechos positivos y creadores que en acicalamientos personales.[22]

En cuanto a la desenvoltura de la chica topolino, no solamente era desaconsejada porque contradecía la esencia de la «mujer muy mujer», sino por otra razón más práctica y convincente a la hora de persuadir a aquellas «chiquitas standard» de que no iban por buen camino. ¿No querían cazar un marido? Pues bien, todo el mundo lo sabía, sus métodos no eran los eficaces para atraer a un hombre verdaderamente varonil ni para hacer su felicidad. Se les predicaba esto en todos los tonos desde los consultorios sentimentales de las revistas:

> No evoluciones ni finjas una desenvoltura que es la triste plaga de las coquetas 1942. Son unas chiquitas «standart» sin ningún éxito.

Podréis creer que conviene más a la mujer la concepción «swing» de la vida sin riesgo ni medida... Pero los éxitos estruendosos y brillantes de la fatua tienen la fugacidad del relámpago.

> Tú, calladita, recogida, sensata y buena, al margen de todo ese bullicio sin nada dentro que forma la generación topolino, tienes magníficas materias primas para formar la felicidad de un señor de noble condición varonil.[23]

Los señores de noble condición varonil eran igualmente alertados sobre las excentricidades de la niña topolino, invocando argumentos de tipo práctico.

> Es un ser deliciosamente absurdo que encuentra naturalísimo llevar en lo alto de la cabeza una seta estilizada y usar gafas negras a las nueve de la noche mientras toma su vermut con ginebra y mancha de carmín su cigarrillo rubio... Después de acudir a vuestra cita con hora y media de retraso, os llevará a merendar a sitios carísimos, solamente por ella conocidos, que desequilibran vuestro presupuesto.[24]

La chica modosa se resistía a dejarse invitar por un hombre que no fuera su novio, y esa actitud se interpretaba como garantía de otras resistencias más fundamentales.

> No es digno... admitir confianzas ni atenciones, siempre interesadas, de hombres que no pueden ser nada en vuestra vida.

Ni exhibirse con una personalidad postiza, pero muy del día, en lugares poco recomendables, donde suele quedar en entredicho la buena fama de la mujer. Ni alardear de inconsciencia y frivolidad... por estar a tono con los amigos ultramodernos y desaprensivos.[25]

Una cosa estaba clara. Los hombres, tanto si eran ultramodernos como si eran de noble condición varonil, estaban más autorizados a esperar favores de la mujer que se dejaba invitar que de la que no. Y la personalidad postiza de aquellas chicas iba siendo desenmascarada, al compararla con la de otras mujeres más con los pies en la tierra que sabían a lo que se exponían al dejarse invitar después de haber dado un plantón y haber guiado al hombre a un local desconocido de luces atenuadas. ¿Dónde se había visto que una chica decente le descubriera a un hombre un local, ni le descubriera nada? Tenía que dejarse guiar en todo por las iniciativas varoniles, atenta únicamente a frenarlas cuando fuera preciso:

> Déjale tomar las iniciativas... pero frénale con delicadeza si se extralimita o desquicia demasiado en ellas. Y no sugieras nunca planes «atopolinados».[26]

De los planes atopolinados, según era fama, se sacaba poco en limpio; mucho alarde de inconsciencia y frivolidad, pero nada entre dos platos. Ahí estaba el quid de su contradicción. En que las niñas topolino, aunque aparentemente «dieran mucho pie», a la hora de la verdad se solían echar para atrás igual que las que no fumaban ni llevaban gafas ahumadas, solo que frenando con menos delicadeza, y más expuestas a la bofetada.

> Estaba acostumbrada a mirar fijamente a los ojos, a entreabrir los labios y fingir un aire distraído para que el muchacho se atreviese, y entonces echar la cabeza hacia atrás, «driblar» el beso, agitar la melena y decir: «Pero niño, ¿tú qué te has creído?»[27]

Para tanto como eso, a un señor de noble condición varonil le traía mucha más cuenta alternar con otro tipo de mujeres, muy abundantes en la postguerra, y de las que hablaremos en el capítulo siguiente.

V. ENTRE SANTA Y SANTO, PARED DE CAL Y CANTO

Casi todos los españoles de uno y otro sexo que andan hoy al filo de los sesenta años, ya vivieran la guerra civil en la zona republicana o en la franquista, suelen coincidir en un punto al evocar las impresiones que aquella conmoción dejara en sus mentes infantiles: la vida familiar había relajado notablemente sus normas habituales de cohesión.

Nuestros padres olvidaron las normas, nos dejaron vivir. Se podía salir de casa sin grandes dificultades sin que nadie se fijara en nuestra presencia. Se podía ir sucio... Se habían roto las rutinas internas de la vida familiar. Se habían abierto las puertas de la calle anárquica y variopinta.

La misma autora que hace este comentario señala, poco más adelante, el frenazo que supuso para los niños la disciplina impuesta en casi todos los hogares como consecuencia de la victoria de las tropas del general Franco:

Como una reacción, quizá desesperada, quizá necesaria para sobrevivir, los padres se volvieron más exigentes ... La censura de todo lo que hacíamos iba a estar presente en nuestra adolescencia, en contraste con la forzosa libertad de los años de la guerra... En aquellos primeros cuarenta, los chicos con los chicos tenían que estar; las chicas, a su vez, con las chicas.[1]

Como primera medida de urgencia, la coeducación había quedado tajantemente prohibida mediante una ley de mayo de 1939, por considerarla *un sistema pedagógico abiertamente contrario a los principios del Glorioso Movimiento Nacional.*[2] Esta ley –que se mantuvo en vigor treinta años– marcó sensiblemente la conducta de las nuevas generaciones de españoles en su paso de la infancia a la pubertad; y esto se acusaba en la intrínseca dificultad para la «camaradería» latente en las pocas chicas que llegaban a la universidad o a trabajar en una oficina, porque además tampoco los hombres con que iban a alternar allí se prestaban, salvo honrosas excepciones, a un trato sin reticencias. Previamente a este ingreso en centros de trabajo mixtos, las ocasiones de intercambiar preguntas, entretenimientos y comentarios con adolescentes del sexo contrario, no solo habían quedado reducidas a ámbitos delimitados por la vecindad o el parentesco, sino viciadas por una sombra de aprensión, que en la edad adulta solía desembocar en las torpezas a que siempre conduce la desconfianza.

Para los niños de la guerra, antes de pensar en resolver su porvenir, existían dos tutorías fundamentales: la del propio ambiente familiar y la del lugar donde cursaran sus estudios de Enseñanza Media.

Entre las dos alternativas del colegio religioso, donde la disciplina era mayor, y la del instituto –masculino o femenino–, donde el profesorado era más competente, la mayoría de los padres de cierto nivel social elegían de preferencia la primera. La razón que solían invocar era la de que allí los hijos estaban «más sujetos», pero tanto o más pesaban las consideraciones de tipo clasista, especialmente cuando se trataba del bachillerato de una chica. Porque en este caso predominaba la opinión de la madre, más conservadora por convicción o por miedo de que su hija le saliera rara, perdiera el freno de la Religión y se contaminara de costumbres impropias de una señorita. En los institutos de Segunda Enseñanza, generalmente ubicados en lugares provisionales y no muy confortables, la matrícula era notablemente más barata que en los colegios de monjas, y por eso había «mucha mezcla», como solía decirse. Acudían chicas de extracción rural o hijas de proletarios de dudosa ideología, cuyos modales y lenguaje eran más descarados, y a muchas de ellas las esperaban a la salida de clase chicos de su barrio con los que se iban tranquilamente de paseo.

Antes de seguir adelante, conviene hacer un paréntesis –aun a riesgo de que sea largo– para señalar que nos estamos refiriendo a capas de la sociedad más o menos privilegiadas y donde tenía algún sentido hablar de estudios o de sumisión a las leyes dictadas por el nuevo Estado, es decir donde no reinaba la miseria.

La palabra miseria tiene a veces en los textos oficiales un retintín poco piadoso, como haciendo recaer alguna culpa sobre aquel que la padece. En amplios sectores de los suburbios de Madrid, que fueron frente de guerra y quedaron prácticamente arrasados, en el año 1944 apenas se había reconstruido nada todavía,

> ... y entre las ruinas –*dice un texto*– las gentes se amontonan aprovechando ansiosamente una sola habitación para albergarse cuatro o cinco familias, buscando refugio en sótanos o cuevas de tierra y durmiendo en repugnante mezcolanza de sexos y edades. La miseria es tan enorme que difícilmente se puede explicar. Sin muebles, sin vestidos, sin casi comida: así viven muchos miles de almas en las afueras de Madrid, dedicados a la busca, a la ratería y a la mendicidad, depauperados y recelosos. Masa en la que se ceba la tuberculosis y que espera siempre la convulsión social o política que le permita dar satisfacción a sus anhelos de disfrute de tantas y tantas maravillas como la ciudad ofrece a su envidia impotente.[3]

En el mismo informe se reconoce que numerosos chicos y chicas, que en alguna barriada llegaban a los cinco millares, carecían de escuela y que el problema se agravaba porque existían algunas academias particulares donde se hacía caso omiso de las medidas que tendían a inculcar ideales patrióticos, como era aquel de la separación de los sexos. A esta desobediencia se le atribuían raíces subversivas:

Por deliberado propósito sectario del maestro o por asegurarse este una más fácil clientela de alumnos, se torpedean las disposiciones del Estado Católico, sin que la Inspección de Primera Enseñanza llegue a enterarse de ello o tenga eficacia para corregirlo.[4]

En aquellas barriadas de extrarradio, habitadas por obreros y por gente sin oficio ni beneficio, reinaba la anarquía y el desdén rencoroso a las normas. La mayoría de las uniones eran ilícitas y la gente vivía entregada a

> ... muchas actividades que escapan a la observación directa, entre las cuales no sería difícil encontrar ramificaciones del socorro rojo, de rudimentarias organizaciones subversivas, de bandas de rateros y forajidos, de agentes de la trata de blancas y de otras actuaciones al margen de la ley o contra la ley, desarrolladas siempre de la forma más ruin y repugnante.[5]

Aquella indecencia tenía su correlato en el aspecto, que es criticado con la misma agresiva impiedad:

> ... una inmoralidad que se manifiesta en el propio modo de vestir, pues en general las mujeres llevan trajes extremadamente rotos que apenas cubren sus carnes. No es raro encontrar mujeres que visten un albornoz o un gabán, también rotos.[6]

El extrarradio de las grandes ciudades fue un tema candente para los rectores de la moral oficial, porque allí se situaban todos los focos de rebeldía de postguerra, como en un vertedero de pavesas aún no extinguidas. En alguna de estas míseras barriadas, como las madrileñas de La Elipa o el Tejar de Sixto, colindantes con la colonia de hotelitos situada al final de la calle de Jorge Juan, aquellas gentes sin ley pertenecían a la misma feligresía que otros vecinos simplemente «venidos a menos». Y el temor de las autoridades era el de que la manzana podrida contaminara a la sana, y no al revés. Generalmente se reconoce que la libertad de trato entre muchachos y muchachas era absoluta, así como la indiferencia de los padres ante el hecho de que sus hijos, desde la primera edad, camparan tranquilamente por sus respetos,

> ... salvo, naturalmente, en las familias de recia contextura hogareña y gran moralidad, pertenecientes casi siempre a la clase media.[7]

En esta salvedad ya queda patente la animadversión, que nunca depuso el Gobierno del general Franco, hacia el proletariado, aquella masa «en que se ceba la tuberculosis» y que, según todos los informes reservados, le pagaba su desprecio en la misma moneda, resistiéndose a cualquier conato de regeneración. La España triunfal, pujante y católica presentaba este inquietante y molesto envés.

En 1944, el Puente de Vallecas, con más de ochenta mil vecinos, llegó a tener que declararse, casi en su totalidad, como «zona infranqueable a los ideales sanos». Dentro de esa barriada, la más conflictiva de los suburbios madrileños

> ... anidan en una compleja confabulación los rencores políticos, las fobias sociales, el odio a la religión y el desprecio de los principios morales. Una dilatada *zona* de no menos del 89 por ciento de sus moradores puede considerarse como *infranqueable,* pues no se ha encontrado hasta ahora el medio de hacer penetrar en ella ideales sanos, ni de atraerlos a un ambiente regenerador.[8]

En el once por ciento restante, después de descontar esta zona infranqueable, se señalan otras tres, definidas como «zona de conquista», donde la gente tiene ideas erróneas pero no es mala en el fondo; la «zona buena», de gente no estrictamente cristiana pero de costumbres ordenadas; y la «zona selecta», de buenos católicos, que incluye aproximadamente el dos por ciento de vecinos de la barriada.

Los suburbios ofrecían un cuadro de indecencia que no se sabía cómo tapar y cuya visión escandalizaba. Veamos una descripción realista de este cuadro, fechada en 1944:

Mención especial merece lo que ha ocurrido este año y ocurre todos los veranos en las orillas del Manzanares. Se deslizan las escasas aguas de este bajo el puente por donde llega a Madrid el ferrocarril del Norte, repleto siempre de viajeros nacionales y extranjeros; y precisamente en el citado puente suelen hacer los trenes una parada de precaución que permite a los viajeros contemplar el espectáculo de una multitud semidesnuda y harapienta revolcándose en charcos fangosos, y tumbados hombres, mujeres y niños en un casi imposible hacinamiento, entre yerbajos amarillos, periódicos grasientos, restos de comida malolientes y detritus de toda índole.[9]

Pero en las zonas de extrarradio había también fábricas, mataderos, solares donde crecía la yerba y pastaban ovejas, casas semiderruidas, huertas, tiovivos, merenderos y piscinas, y eran tentadores para la excursión en metro o en tranvía. Lo más alarmante para las autoridades es que formaban un ancho anillo que rodeaba casi sin solución de continuidad a la gran urbe, y que no estaban aislados de ella por ninguna muralla inexpugnable. De los suburbios de Madrid, donde vivían alrededor de medio millón de personas, surgían muchas jóvenes «caídas», a quien nadie podía impedir pintarse los labios, ponerse un traje ceñido y subir a la Gran Vía, las cuales

... pasean a diario por los cafés madrileños sus encantos y acaso sus enfermedades, ya que esta clase de prostitución clandestina escapa hoy a todo control sanitario y policial. A su vez, Madrid vuelca sobre los suburbios, sobre todo en los días festivos, una multitud de parejas que buscan en los merenderos, en las piscinas, en el río, en los paseos de las afueras y en el cobijo de las innumerables ruinas producidas por la guerra, lugares adecuados para toda clase de actos inmorales y escandalosos. Se establece así una especie de intercambio, de endósmosis y exósmosis de inmoralidad, de tal forma que a veces resulta difícil determinar si es el suburbio el que ensucia a Madrid en el aspecto moral o es la ciudad la que pervierte y da mal ejemplo a sus suburbios.[10]

Este intercambio entre el extrarradio y la ciudad, fenómeno igualmente importante en otras capitales de España, dio lugar a una expresión, «irse a los desmontes», muy usada en los años cincuenta para designar el plan más o menos habitual de las parejas de novios de la clase media, que no sabían dónde ir para entregarse a ciertas expansiones sin correr el riesgo de ser vigilados.

Pero, aunque se ampliará este extremo en su lugar oportuno, lo que quiero dejar insinuado ahora, para enlazar con el tema de la educación, es que la excursión a los desmontes de una pareja de la clase media era propuesta y capitaneada por el novio, que ya tenía conocimiento de aquellos barrios, en algunos casos a causa de una relación íntima con alguna moradora de ellos. Lo contrario era impensable. Para una chica burguesa significaba el descubrimiento de «otro mundo», y no siempre se prestaba de buen grado a asomarse a él, de la misma manera que en la primera edad recelaba, aunque a veces con cierta envidia, de los juegos callejeros de sus hermanos, demasiado violentos, y de aquellas conversaciones sobre «cosas feas» que los aislaban en un mundo de difícil acceso y reglas excluyentes.

El papel de explorador de lo desconocido y de incitador a la transgresión se le había asignado al varón desde la infancia; y con la prohibición de la enseñanza mixta lo que se pretendía era velar por la inocencia de las niñas, en quienes se veía sobre todo una cantera de futuras madres destinadas a dar ejemplo. Continuamente se fomentaba en ellas la noción de que había cosas de las que no tenían por qué enterarse. Y mucho más si se estaban educando en un colegio de monjas.

Tras una permanencia de varios años –internas, externas o mediopensionistas– en uno de estos colegios, aparte de salir refinadas en sus maneras y doctoradas en vainica y letanías, pocas ocasiones se les habían ofrecido a las educadas y futuras educadoras de la burguesía para enterarse de lo que pasaba en la calle «anárquica y variopinta», ni para sacudir la inopia y la rutina de aquella pubertad por la que navegaban como en sueños.

La rutina –*escribió años más tarde un autor*– es el monstruo de cien cabezas de los colegios femeninos. Se arrastran unos principios muy apañaditos, muy ortodoxos, pero que, como Clavileño, no tienen fuerza para despegar... (Estos colegios) observan lo que podríamos llamar la *estática de la enseñanza,* que en torre de marfil prefabrica buenas pero no elásticas maneras; o, si queréis, la *enseñanza de invernadero.*[11]

Y dentro del ambiente familiar de ciertas clases sociales (que sin ser elevadas podrían identificarse con las «familias de recia contextura hogareña» que encomia el texto antes citado), también se practicaba la enseñanza de invernadero. Las chicas decentes eran aves de corral, no ganado transhumante. «¡Quita, quita!, las niñas en la calle no aprenden nada bueno», sentenciaban las señoras, haciendo un gesto de asco con la nariz.

Los contactos con gente de clase social inferior se consideraban menos evitables y perniciosos en el caso de los niños, cuyo talante aventurero y curioso era tolerado y hasta fomentado con complacencia, como cosa propia de su condición. La mayor libertad de movimientos y de expresión que les estaba permitida había de influir, naturalmente, en su aprendizaje del amor, iniciado casi siempre a trancas y barrancas a través de escarceos y de bromas con personas mayores que ellos y más experimentadas, pero sobre todo –y esto es importante– de clase social más modesta. El contraste con un mundo más crudo y unos ejemplares femeninos menos «de invernadero» los ayudaba a doctorarse por su cuenta en las lides del sexo, aunque a costa, eso así, de que la vía tomada los alejara cada vez más de sus hermanas y de las amigas de estas, a quienes se suponía que alguna vez tendrían que dirigirse para pedirles relaciones formales. Ellas seguían un rumbo totalmente opuesto, más señoril y altivo.

Las niñas tienden a codearse con niñas de clase superior, con el ingenuo afán de contagiarse de ese halo de brillantez, apellidos y nutridas cuentas corrientes. Los niños, en cambio, gozan confraternizando con los golfos más desharrapados, en los que suelen admirar su espíritu de iniciativa y su temperamento aventurero.[12]

La mística de la masculinidad venía exaltada ya en los tebeos de aventuras dedicados a los niños. Como las directrices de la prensa infantil y juvenil también se atenían al principio de segregación educativa adoptado por el Gobierno, ninguna niña compraba *Flechas y Pelayos* ni los cuadernillos de *El guerrero del antifaz.* Ellas leían publicaciones como la revista *Chicas,* que luego se llamó *Mis chicas,* donde se les daban consejos de higiene, de comportamiento social, de cocina y de labores, y se las encaminaba hacia paraísos de ternura sublimados en breves relatos de final feliz. La conquista de la gloria y la lucha por labrarse un porvenir se consideraban temas indignos de una publicación dirigida a distraer los ocios de las futuras mujeres.

Pero al niño no había que educarlo en la pasividad, convenía que se identificara desde la primera edad con aquellos héroes de papel, infatigablemente luchadores e indefectiblemente victoriosos. Lo cual no quiere decir que la identificación fuera fácil.

El paso de la infancia a la madurez en una época donde en la mayoría de los hogares reinaban el encogimiento, el luto y los problemas económicos, no podía por menos de estar marcado para cualquier adolescente de temperamento sensible por desalientos y miedos. Pero se veía obligado a reprimirlos, lo cual falseaba aún más su verdadera identidad. Acababa de producirse en el país una cruel contienda, en la que ese adolescente no había intervenido como protagonista, pero en la que podían haber perdido la vida sus hermanos mayores, sus padres o sus parientes. Y aquella monserga del heroísmo a ultranza, que, como secuela de la propaganda bélica, se seguía predicando en los tebeos, los colegios y los campamentos juveniles, era dura de compaginar con la mera supervivencia y la aspiración a un porvenir simplemente decoroso, cuya conquista poca relación podía guardar ya con la letra de los himnos.

La crítica del heroísmo se desarrolló más tarde, bien entrada la década de los cincuenta, pero ya antes algún escritor sensato se había atrevido a defender la legitimidad del desencanto ante las expectativas de un futuro que no despertaba demasiado entusiasmo.

En verdad el entusiasmo no se suscita a voluntad. Ni se puede mantener, como el estilo olímpico, con un diario entrenamiento, porque no nace de nosotros mismos; se siente provocado por algo que actúa fuera de nosotros... Y no puede uno entusiasmarse de continuo, como no se puede estar en la tensión heroica de la batalla, si no es en la batalla misma. Lo demás es fariseísmo, falsificación pura, trampa y cartón de la más detestable insinceridad. Justamente porque se trata de una moral extraordinaria la moral del combatiente, siente el que de la trinchera vuelve a la retaguardia automáticamente rebajada «su» moral. Y en verdad la retaguardia no es ni más ni menos detestable que antes de la batalla... sino el combatiente que vuelve, quien al entrar en contacto con su normal nivel... se apea de la moral excelsa y transitoria a que había acostumbrado el pulso de su vida.[13]

Aparte del anacronismo que esta moral excelsa y transitoria del héroe suponía para un país descalabrado, donde de lo que se trataba era de ir tirando a base de componendas, tampoco las enseñanzas oficiales tendían a politizar de verdad a los chicos, en el sentido de informarles de algo de lo que estaba pasando en el mundo. Uno de ellos, años más adelante, recuerda en sus memorias:

La atonía de nuestra vida colectiva de adolescentes en rebaño era tal que resulta hoy inimaginable. No recuerdo, por ejemplo, que ninguno de los acontecimientos de la guerra mundial obtuviera la más mínima resonancia en los pasillos o en los siniestros patios de recreo o que se hubiera comentado en las tertulias de portal.[14]

Si a esto se añade el hecho de que los comentarios familiares, de donde podía llegar algún atisbo de información para los niños, se solían formular en sordina y bajo advertencias temerosas que impedían su posible ampliación, se entenderá que aquellos «flechas y pelayos» que arriaban bandera en los campamentos juveniles, tanto si tenían vocación de «res publica» como si no, estaban jugando a un juego que los entontecía.

También en los tebeos de aventuras brillaba totalmente por su ausencia cualquier reflejo de realismo. Eran historias circunscritas a unas coordenadas geográficas e históricas tan lejanas que nunca proporcionaban pistas de comportamiento concreto. Y más que estimular, suponían un espejismo equivocado. ¿Qué niño tímido, de mala salud, familia con problemas económicos o un físico poco agraciado podía, por ejemplo, identificarse con *El guerrero del antifaz?*

El protagonista de esta historieta, cuyos primeros cuadernillos empezaron a publicarse en Valencia en 1944, había nacido en un harem moro antes de la conquista de Granada. Siempre con el rostro enmascarado, sus hazañas las lleva a cabo en un medio hostil, cuyos obstáculos vence gracias a su arrojo, a su agilidad y a la ayuda de la Providencia. Es guapo, valiente, cortés con las mujeres, de noble cuna y de porte atlético. Pero sobre todo no llora nunca. En cuanto a su aprendizaje del amor, que es lo que aquí nos interesa de preferencia, está claramente enmarcado en la disociación amor-sexo, que había de ser una constante en la mentalidad varonil de la postguerra. A lo largo de sus aventuras, se topa con una serie de mujeres insinuantes de tipo «vampiresa» (Aixa, Zoraida, la Mujer Pirata), que le tientan entre risotadas, gasas flotantes y velos transparentes. Pero los pensamientos del héroe son para la condesa Ana María, que simboliza a la «buena» de las novelas rosa, y que espera siempre entre suspiros el remate de sus múltiples proezas, alargadas a propósito para que el «suspense» de la publicación no decaiga.[15]

Trasladado este esquema al plano de un noviazgo largo, podría sacarse en consecuencia que el pacto social que llevaba a la consumación del amor tenía que ser aplazado hasta que el protagonista llevase a cabo una misión que nunca parecía terminar. Tal podía ser, por ejemplo –y era el caso más frecuente– la preparación de unas oposiciones. Las diferencias más engorrosas entre la realidad y la ficción estaban no solo en el menor grado de resistencia a las tentaciones del amor «impuro» por parte del lector de tebeos, sino en la falta de aliciente y de sobresaltos que aquella empresa tenía para las condesas anamarías de carne y hueso. A ellas también sus propias lecturas juveniles les habían hecho soñar con héroes arriesgados de los que la tienen a una con el alma en vilo y que, a decir verdad, poca semejanza guardaban con los anémicos empollones de Derecho Civil.

Refiriéndonos, de momento, a la primera diferencia, hay que decir ya que al hombre que llegaba virgen a la boda se le miraba como a una «avis rara» y nadie le auguraba muchos éxitos ni como pretendiente, ni como marido ni como padre. A pesar de que la censura de la época silenciaba cualquier referencia abierta a la sexualidad, había todo un código de sobreentendidos, mediante el cual se daba por supuesto que las necesidades de los hombres eran más urgentes en este terreno, e incluso se aconsejaba a las muchachas que no se inclinaran, en su elección de novio, por un jovencito inexperto sino por un hombre «corrido» o «vivido», como también se decía.

> El hombre nunca ha vivido lo bastante antes de casarse…, ni la mujer tiene por qué investigar en lo que no puede ya haber la menor intervención… El hombre –no lo olvides– es siempre, en igualdad de fechas e inscripciones en el Registro Civil, mucho más joven que la mujer. Por eso, para que su espíritu se vaya sedimentando, conviene cogerlos «un poquito cansados».[16]

Este cansancio que «sedimentaba el espíritu» masculino no se refiere, como resulta ocioso resaltar, a los mandobles del guerrero del antifaz ni a sus arriesgados saltos de almena en almena, como tampoco a la ascesis erótica que le instaba a alejarse de los engatusamientos de aquellas «malas» de la historieta. Las Aixas, Zoraidas y Mujeres Pirata con que se iba a encontrar en la pubertad el lector de tebeos no llevaban velos exóticos por la cara, ni siquiera eran pérfidas como las vampiresas del cine. Se trataba de pobres chicas, muchas de ellas de extracción rural, a quienes la orfandad, la miseria y la falta de trabajo empujaban al río revuelto de las ciudades y las obligaban a comerciar con sus cuerpos para ganarse el sustento. Algunas de ellas eran madres solteras o viudas con hijos que mantener, y ejercían la prostitución clandestina o callejera, porque les traía más cuenta que someterse a la opresiva explotación de que eran víctimas en los numerosos lupanares repartidos generosamente por la Península Ibérica y regidos por jefas avarientas y sin escrúpulos.

El tema de la prostitución, muy debatido en el período que nos ocupa, entraba de lleno dentro de los objetivos redentores del Patronato de Protección a la mujer, creado en 1942 y presidido por la esposa del general Franco. Ni esta señora ni las demás que componían la Junta parece que miraran el problema más que con la desdeñosa altivez de quien teme sentirse contaminado al hurgar en un tema tan asqueroso. Sobre el papel se habla de que pretendían amparar a las víctimas del vicio, tanto en lo que se refería a la regeneración de las muchachas caídas como a la protección de las vacilantes, mediante la creación de talleres donde las tuteladas encontraran la oportunidad de aprender un trabajo. Pero los métodos que empleaba la policía para hacer entrar en razón a las prostitutas callejeras poco tenían de persuasivos. La encarnizada belicosidad de estos «redentores» alcanza en algunas descripciones tales cotas de dureza que no puede por menos de sugerir un paralelo con la caza de alimañas.

> La policía recogió en las calles de Madrid a quinientas desgraciadas que, por contravenir las órdenes dictadas respecto de horas y lugares, eran en otras ocasiones castigadas a quince días de calabozo, y las trasladó a un edificio habilitado por la Dirección General de Prisiones, de acuerdo con la de Seguridad, en el pueblo de la Calzada de Oropesa. Eran el deshecho de la sociedad y reunían todas las lacras morales y físicas... Casi doscientas eran menores de edad y otras tenían más de cincuenta años. El noventaicinco por ciento estaban enfermas de terribles dolencias específicas contagiosas. Sus vestidos, compostura y lenguaje parecían revelar que sus almas habían perdido ya definitivamente los últimos adarmes de pudor y piedad. Se insolentaban con la policía, y al día siguiente de ser encerradas, cincuenta saltaron las tapias de la prisión burlando la vigilancia de la guardia militar y tuvieron que ser capturadas a campo través... Tres meses después –concluye el informe– las hemos visto en misa, después de una misión de ocho días, sollozando amargamente con las manos juntas y la cabeza doblada.[17]

Esta prostitución furtiva o eventual era ejercida, según se insiste en algunos textos, por jóvenes desamparadas o sirvientas despedidas. Esta última puntualización explica el recelo con que se admitía en las casas a las criadas que no tenían una hoja de informes lo suficientemente tranquilizadora, ya que entraban a convivir bajo el mismo techo con familias que podían tener hijos en «edad difícil». Se llegó a estimar como una medida conveniente para que las criaditas jóvenes no se echaran a perder.

> ... la prohibición absoluta de la emigración de muchachas de sus provincias: prohibición asimismo de colocarse antes de los dieciocho años y sin certificado de sus padres que las autoricen a servir; control de su conducta y de sus cambios de colocación por un organismo creado al efecto, y asistencia obligada a cursos de capacitación profesional y educación cristiana.[18]

En un informe enviado desde Almería al Patronato de Protección de la mujer se decía:

> Faltan muchachas de servir bien formadas moralmente. La mayoría tiene un concepto erróneo de la situación y recurre al servicio doméstico como un medio de satisfacer sus afanes inmoderados. El salario mensual es de treinta a cuarenta pesetas.[19]

Yo creo que los que tenían un concepto erróneo de la situación eran los que suponían que con treinta o cuarenta pesetas al mes una chica tuviera bastante para satisfacer afanes ni moderados ni inmoderados. Otros informes, como uno recibido desde Guadalajara, eran algo más piadosos:

> Las muchachas de servir llevan una cruz a cuestas, pues en su casa no pueden tenerlas por falta de medios y están siempre expuestas, lejos de sus padres, a caer en innumerables peligros. Los salarios, por lo general, son bajos y no les bastan para atender a sus necesidades, cosa que las obliga a veces a recurrir a medios deshonestos para hacer frente a la vida.[20]

A la prostitución clandestina –la única verdaderamente perseguida– se le achacaban mayores estragos que a la practicada en los lupanares, tan tolerados que se llamaban «casas de tolerancia». Estos se admitían, con un optimismo a todas luces inconsciente, como *un mal menor y transitorio* y se juzgaba su abolición *como un ideal más o menos próximo hacia el que hay que tender en todas las formas posibles.*[21] A este ideal nunca se tendió verdaderamente, y se sustituyó por medidas, de cuya eficacia cabe dudar, para la reglamentación y control de los prostíbulos, que según la mayoría de las opiniones era punto menos que imposible hacer desaparecer y a los que se atribuía una función de desahogo necesario en favor de la integridad virginal de las condesas anamarías. En lo referente al control de los prostíbulos, parece que desde el punto de vista sanitario era muy poco severo. Pero sí se llegó a conseguir más o menos el aislamiento de las casas de tolerancia

> ... en lugares alejados del centro de la población y fuera de los barrios de vecindario honesto, así como la identificación personal rigurosa de toda meretriz y prohibición radical de que ejerza ese oficio ninguna menor de edad.[22]

También se habló mucho sobre el papel de la subida de impuestos a los lupanares, cuyo producto se destinaría al sostenimiento de los reformatorios, y de las sanciones implacables a los corruptores de menores. Se perseguirían los abusos de las encargadas de los prostíbulos, comprobándose en cada caso la «voluntariedad» de la meretriz.

Pero todo esto, en la práctica, era tan imposible como desterrar de un plumazo la prostitución clandestina o encubierta. Muchas chicas falsificaban la cédula de identificación exigida para ejercer el oficio; y en algunas ciudades portuarias y de alto nivel de población flotante, como Barcelona, era inútil soñar con atajar la contaminación callejera, que alcanzaba también, según testimonios reservados, a prácticas de homosexualidad.

> El aspecto de la ciudad, en cuanto se refiere al problema que nos ocupa, es verdaderamente lamentable –*dice un informe*–.

> Las Ramblas y calles próximas son escenario a todas horas del día de lúbricas exhibiciones e invitaciones a actos inmorales por mujeres que deambulan sin evitarlo nadie, y existen además determinados lugares de la vía pública –la «feria Negra» junto a la Central Telefónica, la calle Mata, los desmontes de la futura plaza de las Glorietas, la cascada del Parque, la antigua Plaza de Toros de la Barceloneta, junto a la Cárcel Modelo, y en la parte alta de la Avenida del Generalísimo– donde mujeres indecentes, amparadas por la escasez de alumbrado, efectúan actos obscenos en gran escala... La plaga de invertidos que, sin recato alguno, se muestra con frecuencia en todos los lugares, es el capítulo más vergonzoso de la ciudad.[23]

Se puede colegir fácilmente, de acuerdo con esta descripción y otras semejantes referidas a los diferentes puntos de la geografía española, lo fácil que le era a un adolescente de la época encontrar desahogo a sus nacientes necesidades sexuales y licenciarse de forma perentoria y bastante barata en la asignatura de hombre vivido.

Aquellos buceos en «el amor fácil» resultaban más directos e indiscutibles que la complicada y sutil estrategia requerida para enamorarse. Y sobre todo para interpretar rectamente la respuesta femenina a posibles avances. Porque el comportamiento de una chica decente podía ser imprevisible, ambivalente. En todo caso, siempre difícil de entender a la primera. Y el trato con las muchachas decentes provocaba generalmente en el joven una timidez que le coaccionaba al producirse los primeros acercamientos.

Uno de estos muchachos nos ha dejado una pintura muy expresiva de aquellos primeros titubeos desconcertantes:

> Acumulaba conscientemente datos, supuestos elementos de realidad con los que nutrir mis sueños y mis versos. Pero precisamente esa atención sublimada me empujaba a un comportamiento con las chicas totalmente falto de naturalidad y hacía más difícil lo que hubieran sido mínimas satisfacciones... Los paseos por las casas de putas, si desde un cierto punto de vista

deprimentes, eran desde otro refrescantes, la contrapartida del aliento litúrgico y lejanísimo de nuestras enamoradas.[24]

A muchos, llegados a cierta edad que les aconsejaba «sentar la cabeza», les hubiera gustado casarse sin tener que pasar por el enojoso trámite del noviazgo, pero no había salida de emergencia para esquivar aquel camino que había que recorrer jalón por jalón, y que tenía su propio catecismo.

No tenía novia, pero quería casarme. Por lo visto uno para tener novia se ha de enamorar. Y como si esto fuera poco..., otra señorita se ha de enamorar de él. Si no, no hay matrimonio posible. Por lo menos así me lo habían enseñado mis doctos profesores del colegio.[25]

La diferencia entre señoritas y mujeres de la vida estaba clarísima en todas las conciencias desde edad temprana. A las primeras, si se quería uno decidir por ellas, había que hacerles el amor; a las otras no. «Hacer el amor» es una expresión que tardó muchos años en tener la connotación de ayuntamiento carnal con que hoy en día es empleada. En los años cuarenta significaba iniciar un asedio, a veces descrito en términos de estrategia militar, para convencer a la elegida del interés especial que despertaba su persona.

Siempre deben ser ellos los que inician el cerco –dice un texto–, los que sostienen el sitio y los que se deciden a avanzar en regla hasta el absoluto sometimiento de la posición deseada.[26]

Con estas consignas de ataque podían sentirse a sus anchas los muchachos agresivos y seguros de su éxito, pero a muchos otros les echaba atrás la sola idea de declararle su amor a una chica, perdían pie en aquellas lides. A los que no se identificaban con el guerrero del antifaz, su timidez congénita se les podía acrecentar al verse obligados a disimularla y vencerla.

(David) se sentía a un tiempo feliz e insatisfecho –se lee en una novela de principios de los cincuenta– indeciso entre el deseo

de mostrarse audaz y el temor que ante la muchacha le sobre-
cogía.[27]

La huida hacia el campo de experimentación del «amor fácil», de reglas mucho menos comprometedoras, podía empezar
siendo una solución de emergencia contra la timidez y acabar des-
embocando en otro tipo de compromiso que hiciera desertar a
los hombres del matrimonio, en algunos por aborrecimiento a las
mujeres en general y en otros por afición exclusiva a cierto tipo
de mujeres que atemorizaban menos, pero a las que la sociedad
biempensante solo admitía a regañadientes.

Los casos de tendencia homosexual que pudieran latir en el
fondo de una soltería masculina prolongada no eran, aunque sin
duda existieran, del dominio público, pero sí en cambio se tenía
noticia de que tras el secreto temor de algunos solterones al matrimonio se escondía en cierto pisito más o menos modesto una
mujer que había accedido a conceder sus favores, a la que habían
retirado de la mala vida y de la que, llevados por el afán de protección latente en la condición varonil o por el carácter sencillo
y sin pretensiones de ella, habían podido llegar a enamorarse.
Eran relaciones más o menos clandestinas, pero aceptadas. «Lo
que no me explico es por qué no se casa de una vez con ella», se
comentaba a veces en círculos de amigos enterados del caso. Y la
respuesta era casi siempre la misma: «Hombre, yo lo comprendo,
por no darle un disgusto a su madre.» De hecho alguna de estas
relaciones, que incluso fueron monógamas y duraron años, solamente acabaron santificadas ante el altar con la muerte de una
señora de misa diaria, ropas oscuras y gesto de reina destronada,
sobre todo si era madre de hijo único. El culto a la madre y a su
sistema de valores era una exigencia sentimental a la que numerosos varones de pocos arrestos fueron incapaces de escapar en
toda su vida. La noción de la madre como jerarquía superior y
ejemplar estaba totalmente vigente en una época donde de hecho la guerra había diezmado cruelmente el número de maridos
y eran muchos los hogares donde la mujer había tenido que hacer acopio de entereza y valentía para sacar adelante a los hijos y
para hacer equilibrios entre dos extremos tan difíciles como no

perder su dignidad y atender a las exigencias de la economía doméstica. Estas circunstancias, objetivamente ciertas, ampliaron e intensificaron el mito de la santa madre que, como revancha, se instaló en tan ingrato modelo, renunciando a todo desahogo placentero pero ensoberbeciéndose en su condición de mártir. En algunos textos se plantea la misión maternal como una vocación de ascesis religiosa.

> Se llega a la maternidad por el dolor como se llega a la gloria por la renunciación... Maternidad es continuo martirio. Martirio creador, perpetuador, que comienza con la primera sonrisa del hijo y solo finiquita cuando los ojos inmensos de la madre se cierran para siempre... Iluso sería quien pretendiera asociar la perfección a la felicidad..., siendo el mundo por mandato divino valle de lágrimas... Solo es mujer perfecta la que sabe formarse para ser madre. Si en el agradable camino de una vida fácil, la mujer no sabe prepararse más que para el amable triunfo de salón, pobre será su victoria... El gozo de ser madre por el dolor y el sacrificio es tarea inexcusablemente femenina.[28]

Este mito de la «mater dolorosa», que tenía claras vinculaciones con el culto a la Virgen María, proponía a las chicas casaderas su propio camino de perfección para el futuro y establecía para los jóvenes un rígido punto de comparación que aumentaba sus cautelas e indecisiones a la hora de elegir la compañera de su vida. El famoso «una madre no se encuentra y a ti te encontré en la calle», propalado por todas las radios de vecindad en la chirriante copla de Juanito Valderrama, encogía las conciencias de los que buscaran en las relaciones con el sexo opuesto satisfacciones que no hubieran de desaguar forzosamente en aquel tenebroso valle de lágrimas.

La influencia de la madre ante las posibles desviaciones de su hijo varón al llegar a «la edad mala» nunca era directa sino solapada, pero en cualquier caso constituía un chantaje sentimental. Era la estrategia normalmente aconsejada a las madres por las publicaciones religiosas:

Debe procurar ante todo no discutir nunca con el hijo y menos en materia de fe. Podrá la madre, pero siempre con discreción, manifestar la pena y el dolor de su alma ante las dudas de su hijo. A veces esto sirve de agarradero sentimental.[29]

Los maridos, cuando existían, purgaban el abandono en que, por regla general, dejaban a sus santas esposas, dándoles un simulacro de vara alta en el negocio espinoso de la «formación» de los hijos. Pero ellas, salvo honrosas excepciones, no estaban dispuestas ni capacitadas para solventar de manera propiamente pedagógica ninguna duda de las muchas que surgían en sus hijos ante la naciente dualidad amor-sexo que los fatigaba en la época de la pubertad. Legisladoras implacables de la conducta honesta, pocas veces se detenían a analizar las contradicciones de aquel problema tan omnipresente como impalpable de la castidad, barrera para la naturalidad y la alegría. Y barrera, por supuesto, entre padres e hijos, porque era de mal gusto mencionarlo. Hablando de la actitud general de inhibición de los padres ante el despertar de la sexualidad en sus hijos, ha escrito un autor:

> El padre ordinariamente se inhibe. La madre prácticamente también, por más que, como desempeña el papel de educadora moral de los hijos, ella es quien a su modo afronta el problema. En el padre la inhibición tiene un sentido negativo, de negligencia más o menos consciente. En la madre esa inhibición es su modo naturalmente femenino de resolver el problema..., que obedece a un sentido erróneo. El problema no sale de manos de la mujer.[30]

Ya hemos visto que los chicos, sin dejar de respetar como un dogma aquella táctica de avestruz de sus madres y fingiendo dejar el problema en sus manos, buscaban soporte en la calle para el aprendizaje de su masculinidad, cuyos avatares comentaban con sus congéneres, con mayor desparpajo o remordimiento de acuerdo con el carácter de cada cual. A todos ellos, y más si habían asistido a colegios religiosos y seguido aquellos apocalípticos ejercicios espirituales de la época, les habían metido el resuello en el cuerpo sobre los castigos divinos y las espeluznantes enfermedades que les podía acarrear la incontinencia sexual, pero se sentían amparados por la convención, aceptada paralelamente con igual vigencia, de que «todos lo hacían» y por lo ridiculizada que era socialmente la imagen del niño puro tipo San Luis Gonzaga.

Sea como quiera en las clases de Religión, tanto para las chicas como para los chicos, el mandamiento sobre el que más se insistía era el sexto, aunque todas las referencias a él rodearan el asunto de una irreal nebulosa.

> La mayoría de las advertencias morales –*dice un autor*– versan sobre el sexto mandamiento, las descripciones de castigos terroríficos y de enfermedades posibles suceden a las invectivas al placer aludido –contrasentido curioso– al que se exalta falsificada y desnaturalizadoramente con relación al real. El resultado de todos estos desorbitamientos es dar más y más alimento a la imaginación..., llevando al debatirse y agotarse en una lucha mal planteada.[31]

Mal planteada para todos, pero aún más ciega para quien ni siquiera tenía localizado al enemigo, que era el caso de muchas chicas de postguerra. El enfrentamiento de la carne con el espíritu, implícito en la devoción incondicional a la Virgen María, creaba en ellas, con el ansia personal de identificación, escrúpulos de un cariz muy peculiar. Desde que una niña se preparaba para tomar la primera comunión, momento en que el problema de la pureza se planteaba, tenía que enfrentarse, por de pronto, con la violencia de arrodillarse frente a la rejilla de un confesionario para hablar con un hombre, lo cual acentuaba la necesidad del eufemismo, de inquietudes y sutilezas que no tenían clara definición, y en las que se había visto previamente obligada a bucear a solas. De aquellos balbuceos angustiosos y baldíos surgía la primera noción de pecado personal. De ahí en adelante todo en torno suyo se iba a confabular para hacer sentir a la adolescente que había emprendido un camino tortuoso y lleno de asechanzas, aunque de la naturaleza de aquellas asechanzas nadie –y menos que nadie aquella sombra varonil sin rostro ni pasión verbal, oculta tras el confesionario– le explicara nada concreto que ayudara realmente a la localización del peligro. Lo único que sacaba en consecuencia es que aquel camino hacia la pubertad tenía que recorrerlo muy seriecita y con el susto en el cuerpo, como si a cada momento pudiera saltar un bicho desconocido de cualquier esquina. Eso era prepararse a ser mujer.

> El grupo de las que vamos a hacer la primera comunión estamos separadas de las demás y ni damos clase ni nada. Nos pasamos el día leyendo historias de santas, estudiando el catecismo, oyendo casos de miedo que nos explica la madre y hablando de lo bonito que nos están haciendo el vestido para ese día. Ni siquiera tenemos ganas de jugar como antes, y en el recreo miramos un poquito por encima del hombro a las otras compañeras que saltan a la comba como tontas sin problemas de conciencia y sin preocupaciones.[32]

Ya en aquellas preocupaciones incipientes, que en muchos casos se convertirían con el correr de los años en obsesiva carga, se intuía que para las mujeres el sacramento de la penitencia iba a ser más riguroso que para los hombres. Rigores no por más habituales menos sutiles y complejos, ya que mediante el ejercicio de la ceremonia confesional, casi siempre insatisfactoria, la mujer había de verse perpetuamente abocada a tratar de entender lo que el hombre zanjaba sin tantos miramientos. Como ejemplo de la menor coba que se daba al penitente masculino, puede servir la anécdota siguiente, que hace poco me ha referido uno de ellos: Por los años cincuenta, en la iglesia del Buen Suceso de Madrid, un curita benévolo había optado por dar la absolución a los hombres sin preguntarles nada, y había una cola impresionante. Como impresionante sería, si pudiera hacerse sobre estadísticas fiables, el número de jóvenes desbordados por la escisión interna ante la encrucijada del sexo, el amor y el porvenir decente, cuyas contradicciones tantas veces se veían sin ánimos ni paciencia para afrontar, y de ahí su miedo posterior a echarse una novia que fuera grata a la familia.

No quiere decir esto que la primera confesión no supusiera también para los niños un expediente violento, que se agudizaría en los casos naturales de timidez. Pero el mismo acceso frontal hacia el padre espiritual y el abrazo sin rejillas era ya indicativo del distinto grado de confianza sugerido por aquella relación, donde para exponer unos asuntos que se iban a tratar de hombre a hombre, no había menester tantos rodeos. En el sobreentendimiento de que los niños, aunque tomaran la primera comunión, no compartían aquellos vagos y quintaesenciados problemas que eran «cosa de chicas», había también implícito el reconocimiento de una cierta dejación de responsabilidades en manos de la futura mujer. Sobre ella había de pesar, aun antes de llegar a ser madre ni saber con qué se comía eso, la tarea de encauzar por el camino del bien al posible novio descarriado, de cargar con sus extravíos sin dejar de amarle y sin dejarse arrastrar por ellos. Los riesgos de esta difícil labor de la amante-misionero se presentan en algunos textos de la época como uno de los alicientes más heroicos del noviazgo:

La discrepancia entre sentimientos religiosos ofrece positivo riesgo entre enamorados. Ahora bien, el hombre, por no sabemos qué complejos de pedantería, cuando es joven suele encontrarse tan fuerte que le parece mal confesar su fe. Tu ex amor... ha pasado por un gran bache espiritual. No tiene nada de particular que su conducta alterada y las hecatombes que se han producido en los últimos años del mundo le tengan en ese tránsito doloroso que, sin una mano enérgica pero dulce para encauzar su mal, deja a los hombres al margen de la gran serenidad que trae el rezo... No te quejes, tienes por delante una bonita papeleta en el ejercicio del amor.[33]

Pero en la práctica no quedaban tan claramente delimitados los papeles de redentor y redimido, y esta impresión ya se sacaba de los primeros juegos infantiles, cuando eran mixtos. Aparte de que jugar a las enfermeras no a todas las niñas les divirtiese, es que a muy pocos niños les gustaba hacer de heridos, sino de luchadores, exploradores y aventureros, como la propaganda de los tebeos les enseñaba. Cuando una niña tenía hermanos, aunque esa circunstancia le proporcionara ocasión para observar más de cerca las reacciones del sexo masculino, raramente podía tomarlas como modelo de conducta, so pena de ser tildada de «marimacho», que era muy mal insulto. Eran ellos, por muy al margen que vivieran de «la gran serenidad que trae el rezo», quienes se habían erigido en redentores. Y precisamente en ninguna tarea inmediata desaguaban con más ahínco sus ansias redentoras que en la de velar por la pureza de la hermana y fiscalizar su conducta. Sobre ella ensayaban desde temprana edad la actitud autoritaria con ribetes de ternura que más tarde les parecería la adecuada para mantener incontaminada a su propia novia de las salpicaduras del coto masculino.

Era mal mirado el joven que se desentendía de la conducta de su hermana, que no la acompañaba a las fiestas y que no le echaba alguna bronca si se propasaba en escarceos con algún muchacho de mala reputación. El influjo recíproco de la chica sobre la conducta de su hermano era más discutible, pero eso no importaba para que las amigas de la hermana considerasen a esta como puente de acceso a una cierta intimidad familiar con el joven en edad de echarse novia. En los consultorios sentimentales, que tendían a prohibir cualquier iniciativa femenina, como luego veremos, este expediente de adorar al santo por la peana era uno de los pocos que se tenían por inocentes y legítimos.

> No veo inconveniente en que procures fomentar la amistad de sus hermanas..., intimando con ellas lo más posible, saliendo al cine, al teatro y en general a todo aquello que a ellas les guste. Así irás estrechando cada vez más esa amistad, hasta lograr... entrar en su casa con toda libertad y a todas horas. Entonces tendrás la posibilidad de verle con más frecuencia y que él te trate en la intimidad y te vaya conociendo mejor, pudiendo llegar a invitarte para que salgas con él.[34]

Los noviazgos de postguerra se habían convertido en un negocio doméstico, en el que había que contar con el visto bueno de las respectivas familias. Las dignas y suspicaces madres exigían garantías de porvenir a sus futuros yernos y soñaban para sus hijas un ascenso en la escala social. Para sus hijos varones, a los que nunca tenían tanta prisa por ver casados, deseaban simplemente una mujer que no los echara a perder y que se pareciera lo más posible a ellas mismas. El ideal de muchas era el de mantenerlos el mayor tiempo posible bajo su ala protectora, sumidos en el ámbito reconfortante de las buenas costumbres.

Una vez terminado el Examen de Estado, los chicos de provincias querían volar con alas propias y salir de su casa para hacer carrera en otra ciudad de más amplios horizontes. Así hablaba una madre gazmoña y preocupada ante esta separación:

> Esto de separarse de Pepe para que se vaya a ese Madrid de mis pecados –y de otros muchos pecados que no son míos, que es lo grave– me tiene inquieta. Ya sé que el chico es bueno. Pero se halla en la edad más a propósito para echarse a perder. Aquí tiene la guía y el ejemplo de su padre, está encajado en las costumbres de casa, no tiene porqué descarriarse. Y además le cuido yo, le preparo la comida, le tengo el cuarto limpio que se puede peinar mirándose en el suelo. No me ha dado nunca disgustos si exceptuamos aquel día en que iban a detenerlo porque pedía que linchasen al árbitro en el partido que jugó aquí el Valladolid.[35]

Ellas, en muchos casos, eran las que fomentaban con un amor exclusivo y mal entendido la timidez del hijo y su futura hipocresía. Cuando este Pepe y tantos pepes de la época «se descarriaban» con la complicidad jocosa de los amigotes, sabían que en el fondo contra quien estaban pecando era contra la santa madre. Y por eso era también a ella a quien había que desagraviar más adelante, eligiendo una novia que le diera gusto. Pero para la elegida, por muy decente y modosa que fuera, dar gusto a la futura suegra no era tarea tan fácil. Enamorarse de su hijo entrañaba la osadía de intentar destronarla, o al menos así lo interpretaban muchas madres, que eran las que iniciaban la agresividad.

En la postguerra los chistes de suegras constituyeron una verdadera plaga, burdo reflejo de una opinión que consideraba como síntoma de rebeldía y de mala condición el afán de una joven por querer a su novio solo para ella, prescindiendo del influjo de su parentela. Este intento podía hacer fracasar un matrimonio, sobre todo si las circunstancias obligaban a la convivencia. Que el hijo, en caso de desavenencias, tomara partido por la madre, se consideraba una cosa natural; y son muchos los textos que exhortan a la nueva esposa a ceder en su derecho.

> Tienes que volverte más diplomática, hijita, si quieres que tu hogar no resulte un fracaso. El problema de la muchacha joven que se casa con un hijo único y que se va a vivir con él y con la suegra... suele tener la misma evolución... Ten en cuenta que no se debe nunca y por ningún motivo enfrentar a un hijo con su madre, a no ser que concurran circunstancias muy graves de orden religioso o moral que lo aconsejen... Tú no debes aspirar a mandar y decidir... Procura ganarte el cariño de tu suegra a base de «saberla llevar». Nada te cuesta poner una cara sonriente y agradable. [36]

Volvemos a lo de siempre, a la prédica de la sumisión y la sonrisa. A un hombre, en el fondo de su alma, podían hartarle estas ñoñeces y estar deseando la vehemencia de otro tipo de novias más de rompe y rasga, pero no se atrevía a confesárselo ni siquiera a sí mismo.

Julián, el protagonista de una novelita de la época, tras haber sido seducido por Gloria, «una fresca», piensa en el amor más soso, pero más ideal, de su novia y reflexiona así:

> Si la otra fuera tan vehemente, tan audaz. Pero no; por eso precisamente amaba a Olvido. Por la mansedumbre, por el sufrir oculto, por el amor tímido. [37]

Desgarrados en esta peliaguda dicotomía entre el amor «a imagen y semejanza de la madre» y las exigencias del sexo, pocos fueron los enamorados de la época que pudieran conocer con un mínimo de precisión el tipo de atractivo o afinidad que, durante la etapa del noviazgo, les unía a sus parejas.

Por pudor, precaución o artificio –*dice un texto*– no suelen los enamorados dejar rienda suelta a su expresión. Así ellas parecen, en ciertos casos, esfinges y ellos, en ciertos casos también, monstruos de frialdad o fenómenos sin corazón.[38]

Desde un punto de vista lingüístico, el fracaso que suponía la llamada «escuela del noviazgo» se materializa en la desviación maliciosa que se atribuía al vocablo «entenderse». Es muy significativo que el hecho de entenderse un hombre y una mujer (que es para lo que habría tenido que servir un noviazgo, a fin de cuentas) remitiera únicamente al entendimiento sexual, cuando este tipo de entendimiento era, además, el que casi nunca se garantizaba a lo largo de los pocos contactos furtivos que una relación decente permitía. Cuando se decía de algún hombre, casi siempre «sotto voce»: «Se entiende con Fulana», ya se sabía que se estaba acostando con ella. Hay un rastro de esa acepción en el siguiente comentario:

El hombre difícilmente «se entiende» con la mujer, para decirlo con frase vulgar; «no es comprendido» diríamos más sutilmente.[39]

¿Por qué –se pregunta uno– había de ser vulgar una frase que alude a algo tan sano y deseable como el entendimiento entre un hombre y una mujer, si no fuera por la desviación semántica que había captado el vocablo para la órbita de las satisfacciones prohibidas?

Bien claro queda en este rastro lingüístico que la pared de cal y canto implantada por la segregación educativa lograba ampliamente sus objetivos en el punto fundamental: en la violación del entendimiento.

VI. EL ARREGLO A HURTADILLAS

La alerta contra la anarquía, que vertebró toda la política interior y exterior en los años de consolidación del franquismo, tuvo su correlato más fiel en el ámbito de lo doméstico. Son muy frecuentes los textos donde se habla del desorden en términos de enfermedad, y las consignas para combatirla tienen un acento expeditivo y tajante, algo desproporcionado si se compara con la casi total ausencia de alusiones a otras plagas mucho más reales y peligrosas, como por ejemplo la sífilis, que esa sí que podía traer la calamidad a un matrimonio. Pero aquellos discretos cartelitos de «enfermedades venéreas» colocados bajo el apellido de un doctor en los balcones o portales de algunas casas no pasaron de ser nunca para una gran mayoría de jovencitas casaderas un asunto incógnito y totalmente ajeno a su futuro. En cambio, sabían desde niñas que no había males más temibles para la buena salud de la sociedad que los que se incuban en un hogar desorganizarlo. Y organizado era competencia indiscutible de la mujer. Mediante esta prerrogativa, recibía ella las llaves de su reino. Pero lo más curioso –y aquí se apunta un tema sobre el que volveremos más adelante– es que aquella competencia o incompetencia femenina había que demostrarla no solo a través de las capacidades para gobernar el desorden exterior sino también el interior, o sea la doma de los propios humores y descontentos. Ambas capacidades se equiparaban y se pesaban en la misma balanza, de igual manera que la asignatura de Geografía e Historia no se podía aprobar si se hacía un examen deficiente en una de las materias y brillante en otra.

Sobre todos los individuos que forman la familia se refleja el malestar que produce un hogar mal organizado. La falta de higiene, el malhumor, la incomprensión, la incompetencia, en fin, de la mujer son causas que producen gravísimos efectos. Los hombres se dispersan y alejan del medio doméstico repelidos por el mal ambiente. Las mujeres se forman defectuosamente, equivocadamente... el mal se extiende, se generaliza y repercute en la sociedad, que adquiere hábitos de rebeldía, de desorden, pues los individuos llevan en sí el estigma de su mala educación adquirida en el hogar.[1]

No estoy segura de que los hombres se alejaran siempre del «mal ambiente» doméstico repelidos por la enfermedad del desorden, sino muchas veces por el exagerado olor a desinfectante con que se trataba de prevenir. Responsabilizada sin paliativos del buen funcionamiento de la célula familiar, la mujer orgullosa de saber llevar bien una casa y de mantener la disciplina en ella adquiría modos militares y podía llegar a esclavizar a todos cuantos vivían bajo el mismo techo. La lucha contra el enemigo se agudizaba con los cambios de estación y particularmente cuando hacía su aparición el verano, época más idónea que ninguna para el florecimiento de insectos y microbios.

La señora es tan buen ama de casa que durante un par de semanas no se puede vivir en ella. Y hasta que empiece la temporada otoñal, se vivirá entre fundas, bayetas, envoltorios de lámparas... sin temor a los microbios ni al polvo, pero sin escenografía grata y con un confort disminuido, que no todos en la familia admitirán como beneficio de la sabiduría maternal.[2]

Las hijas estaban mucho más predestinadas que los hijos a convertirse en discípulas de esta «sabiduría maternal» hecha de Sidol, plumero, naftalina y zapateados sobre el parquet con los pies envueltos en bayetas amarillas. Más adelante, iban aprendiendo también ciertas triquiñuelas y salvedades de aquel código del orden doméstico, que para alcanzar un determinado nivel de perfección requería ser un tanto invisible y secreto. La mujer había de representar a la vez los papeles de Marta y de María, y la primera tenía que estar preparada a esfumarse, es decir, a quitarse la bata y los rizadores en cuanto sonasen los pasos del hombre por el pasillo. Era un equilibrio difícil.

> El mal humor, los quehaceres desagradables, el desaliño y la casa revuelta se dejan para cuando el esposo está ausente del hogar. Hay que evitar que él os vea enfundadas en esa vieja bata que usáis para la limpieza, calzadas con unas zapatillas deterioradas, greñudas y mal aseadas. Nada hay que desilusione tanto a un hombre como ver a su compañera poco cuidadosa de su persona, demasiado ocupada en las cosas del hogar e indiferente a la proximidad del esposo...
>
> Es preciso hacerle olvidar su fatiga, su disgusto y su enfado, mostrándose cariñosa, interesándose por sus asuntos y rodeándole de atenciones que... le hacen deseable el hogar y la compañera que así sabe ensuavecer su vida.[3]

En las ordenanzas sobre el orden femenino sobresalía la palabra «recoger», base de cualquier posterior enseñanza. Y en esta recogida furtiva y eficaz de las huellas del caos doméstico, muchas veces provocadas por el descuido inherente al varón, él gozaba de una indulgencia casi plenaria. A las niñas se las reñía incalculablemente más que a sus hermanos si no dejaban su ropa bien doblada o tenían el cuarto revuelto. Y eran cosas –según se apostillaba siempre– que se les decían por su bien, para que el día de mañana supieran mandar en su propio territorio, no presentar al marido hecho un adán, retenerlo, y sobre todo transmitir a sus hijos la antorcha del orden. Porque de mayores ellas tendrían hijos, como sus mamás, hijitos sonrosados que les traería la cigüeña envueltos en un hatillo y a los que habría que tener limpios, echar en el culito polvos de talco y coserles la ropa bordada en rosa si era una niña o en azul si era un niño. Se las engolosinaba con esta idea, que formaba parte de las «enseñanzas de invernadero», y que desde la primera infancia estaba presente en la mayoría de sus entretenimientos y ensoñaciones de futuro.

De esta manera las niñas, en espera pasiva de que algún día la manipulación de la especie llegara a estar en sus manos, ensayaban sus vagos anhelos de maternidad entregándose al paraíso ficticio de coserle vestidos a una muñeca de trapo o de cartón, que se plegaba inerte a sus caprichos y nunca rechistaba. La acunaban, le hacían comiditas y la reñían porque había dejado su ropa tirada por el medio, en revancha mimética de las reprimendas que ellas mismas recibían de sus madres. Este tipo de juegos solía provocar comentarios aprobatorios como el de «¡Qué mona, por Dios, parece una mujercita!», que a veces musitaban las visitas, igual que si estuvieran presenciando una representación teatral de su agrado. En general la muñeca se consideraba un invento ejemplar y sumamente educativo:

> Siempre que ello sea posible, cultívese en las niñas la muñeca y el cuarto propio, que se acostumbrarán desde la primera edad a cuidar y adornar. Son las mujeres que nos están acechando ya.[4]

El cultivo de la muñeca, realmente obsesivo en la época que estoy estudiando, alcanzó su punto álgido con el lanzamiento al mercado de la famosa Mariquita Pérez, cuyo imperio, prolongado durante unos quince años, llegó a tener sede propia: una tienda encabezada con el nombre de aquel mito de cartón y situada en la madrileña calle de Serrano, muy cerca de la Plaza de la Independencia. Aunque, a decir verdad, poca independencia insufló en las niñas sometidas a su boba fascinación. Centenares de ojos ansiosos, pertenecientes a los alevines de aquellas «mujeres que nos están acechando ya», merodeaban los escaparates del establecimiento, donde se exhibían cuatro o cinco mariquitas-pérez idénticas pero con atavíos diferentes, más que en busca de la mirada azul e inexpresiva de la pepona de sus sueños, en éxtasis ante los primorosos modelos de vestidos, abrigos, camisones, braguitas, diademas, turbantes, artículos de tocador, zapatitos y trajes de primera comunión o de fallera valenciana que renovaban su aspecto en progresión creciente de lujo y calidad. Ya lo decía una canción que anunciaba el producto por la radio:

–Mariquita Pérez,
¡qué elegante eres!
–Pues el mes que viene
he de serlo más.

La clave de aquel éxito, uno de los mayores montajes publicitarios de la industria nacional de los años cuarenta, radicaba precisamente en la explotación del prurito competitivo de elegancia y estilo agazapado, como estímulo de superación, bajo el estático ideal de la mujer hacendosa, a quien continuamente se espoleaba para que fuera capaz de sorprender a sus amigas con modelos cosidos por sus manos.

Pero en este sentido, Mariquita Pérez, como toda innovación de tipo comercial, entrañaba una falacia. Cuando poco más tarde, y en vista de los pingües resultados del invento, el auge de la muñeca se vio reforzado por la aparición de su hermano Juanín, igualmente vestido de baturro, tenista o marinero, ya estaba bastante claro en todas las mentes medianamente despiertas que aquellos dos tiranuelos de juguete estaban lanzando un desafío contra la mentalidad de autoabastecimiento propia de una economía precaria. Eran un símbolo de «status», eran muñecos para niños ricos. Por eso despertaban la codicia, como la despertaban las chicas que se ponían de largo vistiendo un traje firmado por Balenciaga. Y las madres de situación económica más modesta, que habían sido las primeras en sentirse orgullosas al poderle comprar a sus hijas una Mariquita Pérez o un Juanín, se daban cuenta de lo caro que les salía mantener aquel negocio. Porque aquellos muñecos en cueros o con un solo traje eran un puro hazmerreír. Y a las niñas que los tenían y que estaban al tanto de la moda creada para ellos era difícil aplacarlas con un sucedáneo de cretona o percalina.

Mariquita Pérez fue un fenómeno bajo el cual se atisban ahora, al cabo de los años, los incipientes fulgores de la sociedad de consumo; y cabría equipararlo a la revolución que, frente a las costureras y modistas tradicionales, significó la apertura de las primeras «boutiques». Estas tiendas pequeñitas y selectas, regentadas a veces por chicas de buena familia, empezaron a florecer como plantas raras en las grandes capitales hacia 1948, y aunque muy poco a poco, fueron cambiando la actitud de la mujer en sus relaciones con la ropa, que se volvieron menos ceremoniosas y meritorias, menos originales también. Las «boutiques», símbolo de la modernidad, fomentaban el gusto por la elección fulminante de un modelo cuya mayor ventaja era la de que podía sacarse puesto de la tienda, a cambio, eso sí, de toparse en la calle a una chica que luciera otro exactamente igual.

Pero en los años del autoabastecimiento, el negocio de vestirse una mujer era algo que hacía perder mucho tiempo y se tenía a gala que así fuera, porque ponía en juego ciertos equilibrios de imaginación relacionados por una parte con el sentido del ahorro y por otra con el deseo de no llevar «ropa de serie». Prestigiaba ante las amigas conseguir un atuendo a cuya confección se le hubieran dado muchas vueltas y hubiera costado múltiples titubeos, pruebas y rectificaciones de opinión. Este proceso hasta la terminación del vestido era la base fundamental de muchas conversaciones femeninas, a las que daba pasto la consulta asidua de figurines y de revistas especializadas. Eran costumbres que con distinto matiz estaban arraigadas en todas las clases sociales. Tanto la chica modesta que se hacía su propia ropa porque había aprendido Corte y Confección como las señoras y señoritas que la encargaban a modistas de mayor o menor prestigio, vivían en perpetuo contacto con el mundo de la costura. Las revistas para chicas dedicaban varias de sus páginas a complementar las lagunas de información que pudieran quedarles a sus lectoras en materia tan importante, y las familiarizaban con el intríngulis de los frunces, dobladillos, pinzas, nesgas y bieses que daban al modelo dibujado un aire tentador y vaporoso.

Luego solía venir la desilusión, como también en el amor, de comprobar la diferencia que hay de lo vivo a lo pintado; y el aborrecimiento posterior por una prenda «que no había quedado como en el figurín» acentuaba las indecisiones y rodeos antes de elegirla, más o menos consciente quien había de llevarla de que lo importante era el período de «ilusión» que antecedía al estreno de la misma, situación a la que se conferían mágicos poderes de renuevo y aventura, generalmente desmentidos a la hora de la verdad.

No se elegía un modelo de buenas a primeras, ni se cosía en dos días, de la misma manera que de la inclinación hacia un hombre determinado hasta la boda con él había un proceso cuajado de cavilaciones y de ensueños, a través del cual la decisión se iba configurando poco a poco como algo definitivo. No todos los trajes servían para cualquier ocasión, había unos mandamientos rígidos que impedían confundir uno de calle o «de vestir», como también se decía, con uno de casa. A estos se les llamaba «trajes de batalla», tal vez aludiendo a la mantenida contra el desorden doméstico de que más arriba se habló. También estaba muy delimitado el paso de las estaciones a través de su huella en la ropa. «Me tendría que hacer un abriguito de entretiempo –se decía– o si no, arreglarme el de hace tres temporadas», y otra frase muy frecuente: «Yo no puedo ir. No tengo nada que ponerme; ya no se llevan los cuellos así.» Se hacían muchas reformas, casi siempre encomendadas a costureras modestas, porque las modistas buenas no cogían ese tipo de encargos: se sacaban los jaretones, se les daba la vuelta a los abrigos viejos, y las prendas ya usadísimas se le daban a la criada, a la portera, o a Acción Católica, pero casi nunca se tiraba nada, porque había mucho pobre y era un cargo de conciencia.

Dentro de las transformaciones totalmente superficiales que podía acarrear el estreno de un vestido nuevo o la conversión de uno viejo en uno nuevo, existían tres jalones particularmente solemnes y significativos, por tratarse de ropas que no iban a servir más que para la ocasión que simbolizaban: el vestido de primera comunión, el primer traje largo con que a la jovencita se la presentaba en sociedad y el vestido de novia. Entre el traje de primera comunión y el de novia existía en general una semejanza que no dejaba de ser curiosa. Su blancura aludía en ambos casos a la pureza de quien lo vestía, y el velo de tul que ocultaba el rostro de la usuaria era un símbolo bien claro de aquella especie de nube de irrealidad en que hasta entonces había vivido, envuelta como en una gasa que se interponía entre su posible percepción del mundo y el mundo mismo.

Es muy significativo que al tul con que se confeccionaban los trajes de novia se le llamara «tul ilusión», porque había nacido para arrugarse, era flor de un día, y marcaba la frontera solemne entre el ensayo y el estreno, entre la ficción y la realidad.

El tul transparente parece no tener orillas; sí, como la ilusión, como tu ilusión vasta, grande, infinita y bella. Y tenue también, y también frágil, como el tul ilusión... Sueña, sueña, cabecita de oro; que tu sueño sea como la ilusión: sé como tu ilusión.[5]

A lo largo de la década de los cuarenta hubo varias polémicas sobre algunos incipientes cambios en la moda de los vestidos de novia, correspondientes a una actitud más «moderna», que tendía a trivializar el carácter ceremonial y simbólico de la boda.

Son muchas las novias que hoy han colgado... la ilusión del traje blanco... Son muchas las que se casan en traje de calle... Las deportivas y alegres novias de hoy han escogido la camaradería, el compañerismo y otras conquistas semejantes, con las que el hombre gana siempre... pues puede llevar al enemigo a su terreno. Novias de hoy sin nubes de tul, sin oleadas de raso, sencillas, casi triviales a veces, vosotras que parecéis un bello diablillo ¡sois unos ángeles de ingenuidad!, y habéis escogido la peor parte.[6]

También, sin llegar al «traje de calle», se insinuó la novedad de suprimir la cola y cortar la falda del vestido de novia, con lo que podía más adelante ser aprovechado para un coctail u otra fiesta, sin necesidad de grandes arreglos.

Están perfectamente admitidos por la moda y son muy graciosos los trajes de novia cortos. Se hacen con el cuerpo ceñido, manga larga y escote discreto, cuadrado o redondo y una falda fruncida desde la cadera, mucho vuelo, muy airosa, muy aprovechable después, porque la tela va al hilo y no se estropea nada.[7]

Pero, como ya queda dicho más arriba, estos criterios utilitarios entraban en contradicción con el sentido intrínseco de hito memorable que entrañaban los atuendos confeccionados para acontecimientos tan únicos e importantes en la vida de una mujer como eran los de la primera comunión y de la boda. En el camino recorrido desde aquel a este, el jalón intermedio de la puesta de largo podía considerarse algo más profano, porque al fin y al cabo no se trataba de un sacramento. Así que reformar un traje de noche, alusivo a una fiesta donde podían haberse ocasionado salpicaduras contra el pudor, disimuladas entre las manchas del estampado de flores, no era un atentado contra el compromiso mismo de pudor que proclamaban los trajes de comunión y de novia.

Estaba tan vivo en todas las conciencias el carácter de inicio y final de una etapa que respectivamente simbolizaban estos dos trajes en la biografía de una muchacha decente, que era casi automático el siguiente comentario dirigido a la madre de una niña vestida de primera comunión: «Ahora lo que hace falta es que la vea usted casada.» En este «verla casada» iba implícita más una alusión a la imagen de «volverla a ver vestida de blanco» que a los problemas reales que pudieran iniciarse para la futura esposa una vez concluida aquella ceremonia de los azahares, el himno nupcial, las alianzas intercambiadas y las enhorabuenas.

El cultivo de la apariencia decente tenía su clímax en el traje de novia. Llama la atención, repasando las revistas femeninas de postguerra, la preponderancia otorgada a la sección de bodas. En esta serie de fotografías, donde ella sonríe pudorosamente tras el velo de tul, y su acompañante, generalmente más viejo, la mira de través como el que está destinado a comerse una tarta empalagosa, destaca la discreción de que hacían gala en este ramo los modistos de firma. Lo más elegante, y también lo más español, era –según decían todos– poner el énfasis en la ausencia de exotismo. Y en eso las grandes casas de modas tenían que dar ejemplo.

Cuando se casó la hija única del general Franco, una reseña decía:

Carmen Franco, alta, esbelta, arrogante, españolísima de color y de rasgos, /vestía/ un traje de impecable sencillez, cerrado escote, la cintura de avispa. Sobre el cuello un bies de donde se forma el gran manto espléndido, primor de alta costura, que se desprende por detrás de un discreto escote en pico y se extiende en un acierto total de majestuosa elegancia. Velo de tul cubriendo por entero la amplitud del manto. Sobre el pelo, recogido, una diadema de brillantes y perlas... El almuerzo, señorial y sin alarde. Franco come siempre el pan de ración que comen los españoles.[8]

Cinco años atrás, en una fiesta amenizada por Gracia de Triana, Raquel Rodrigo, Roberto Rey y Miguel Ligero, esta misma señorita se había puesto de largo con un traje blanco de tul y encajes, delicada creación de Balenciaga, sobre cuya sencillez también insistieron mucho las crónicas. Al día siguiente,

> ... los bellos ojos de Carmencita Franco quieren llevar un destello de su propia alegría a trescientos viejecitos de un asilo de ancianos, a quienes sirvió la comida cuando aún en sus oídos resonaban... las frases de felicitación y la música.[9]

En una palabra, el lujo había que disimularlo, hacérselo perdonar. Y estos equilibrios dejaban su rastro en la moda, refrenaban el vuelo exótico de su fantasía.

La alta costura española, aunque minoritaria, alcanzó bastante auge a partir de 1941. Coincidiendo con la ocupación de París por los alemanes, empezaron a sonar en nuestra patria nombres de modistos improvisadores, como Asunción Bastida, Pedro Rodríguez, Balenciaga, Pertegaz, El Dique Flotante y Santa Eulalia. Más tarde, el cierre de nuestra frontera con Francia vino a dar un nuevo impulso a la moda española, que se afianzó durante los tres años en que permanecieron incomunicadas las dos naciones.[10] Tal vez hubiera en esto un prurito de emulación o de revancha, porque la pauta de la moda en esos años seguía dándola más París que Hollywood. Y en las altas esferas de la burguesía franquista, se fomentaba el orgullo nacional por estos modistos-divos, como por los futbolistas, las folklóricas y los toreros. Sabían montarse su propia propaganda, tenían empuje, ganas de dejar a España en buen lugar. Pero esto, en una época en que se proscribía el lujo, podía despertar también ciertas reticencias, y de hecho las despertaba.

> No quiero decir que sea mejor o peor modisto el que organiza una propaganda más ruidosa –*dice un texto*–, pero sí que el arte de saber manejarla es tan importante como el arte y el gusto en las creaciones... Los trajes enormemente caros... solamente al alcance de millonarias brasileñas, artistas americanas o princesas egipcias, los diseñan los modistos no solamente para estas damas, sino porque atraen a futuras clientes, que elegirán un traje cualquiera solo porque han admirado una fantástica creación de ensueño del mismo autor.[11]

De todas maneras, los modelos de alta costura detonaban todavía en la vía pública, y hacían volver la cabeza con cierto escándalo. En 1945, una publicación barcelonesa se queja de ello como de un atraso lamentable:

> La costra de provincianismo recubre todavía esta ciudad nuestra, a despecho de ciertas ínfulas de cosmopolitismo. Cuando, con vistas a la propaganda, ciertas grandes firmas de costura barcelonesa quieren fotografiar algún modelo de calle, no les queda otro remedio que cargar en un taxi a la maniquí, al fotógrafo y a la directora e ir en busca de un telón de fondo natural, que para el caso acostumbran a ser los jardines de Pedralbes, alguna esquina de la Diagonal o un balandro del Náutico. Exhibiciones clandestinas, pues el paso de las maniquíes por la calle levantarla a buen seguro una revolución.[12]

La moda, como los peinados y los consejos de higiene y de belleza, tenían y siguieron teniendo durante bastante tiempo un cariz secreto y confidencial, de receta casera, que unía a las mujeres en un cotarro cerrado de preparación para la apariencia.

> Cada noche, antes de acostarse, apliquese la Crema Tokalón Rosa, alimento para el cutis. Esta deliciosa crema contiene Bio-

cel, el sorprendente y precioso elemento de juventud descubierto por un Dermatólogo alemán universalmente conocido.[13]

No se daban más explicaciones sobre aquel dermatólogo fantasma. Bastaba escribir su profesión con letra mayúscula para que adquiriera ante las lectoras del consejo el prestigio de todo lo impreciso, de los sabios de cuento de hadas o de los prestidigitadores.

Había, naturalmente, industriales que pretendían romper este cerco e imponer sus productos en el mercado bajo un aspecto menos casero y más exhibitorio. En mayo de 1940, por ejemplo, para convencer a las mujeres de las ventajas de no rizarse el pelo en casa y como a hurtadillas, la marca Solriza, *creadora del sistema de permanentado del cabello sin aparato ni electricidad, sin molestias ni peligros,* organizó un festival por todo lo alto en el Teatro de la Zarzuela de Madrid, con la colaboración de Radio Sevilla, Radio Alicante y Radio España 2. Actuaron también los clowns «Los cinco Menéndez», y se cantaron números de *Los Bohemios* y *La Revoltosa:*

> En los entreactos musicales..., el speaker desarrollaba una verdadera conferencia, dirigida especialmente a los profesionales, explicativa de las distintas clases de líquidos Solriza, base fundamental del procedimiento.[14]

A pesar de que la reseña acaba puntualizando que al acto, que se cerró con una exhibición de peinados, acudieron algunas autoridades y miembros de la buena sociedad, el tono en que está narrado todo tiene algo de prédica de pueblo o de perorata de charlatán. Se trataba de reunir fieles para una nueva religión: la de la sociedad de consumo.

La verdad es que las mujeres tardaron aún muchos años en crearse la necesidad perentoria de ir a la peluquería, y en los años cuarenta se mantenía el oficio de la peinadora que venía a las casas, y a quien no habían hecho falta cursillos profesionales para aprender el oficio. Consuelo González, una bella muchacha madrileña del distrito de La Latina, manifestaba en 1947 que aprendió sola la profesión, porque de niña tenía el pelo largo y le gustaba hacerse peinados, pero que no había pensado ganarse la vida con eso hasta que murió su padre y se le ocurrió poner un anuncio. Iba a peinar por las casas, sobre todo a personas mayores, y les cobraba de ocho a diez duros al mes. También hacía tintes, *que eso es un trabajo de paciencia* –según puntualizaba–, preparaba postizos y hacía

> ... lavados de cabeza y otros trabajos relacionados con la higiene del pelo. Lo corriente –*concluía*– es peinar, y para eso es para lo que la llaman a una.[15]

Este tipo de oficios a domicilio fueron desapareciendo poco a poco. Ya un año antes de estas declaraciones, Josep Pla los añoraba como formando parte de un pasado feliz, durante el cual

> ... se había apenas popularizado el arte del peinado, que hoy tiene en todas partes suma trascendencia y ha dado origen a una industria muy importante. Las señoras se hacían peinados en casa y la cosa no trascendía de la familia.[16]

En eso precisamente consistía el paso de una mentalidad a otra. En que los asuntos del arreglo de las mujeres dejaran de ser privados para ser públicos, es decir, en que empezaran a trascender del ámbito de la familia o de un círculo estrecho de amistades del mismo sexo. Había que arreglarse, pero sin dar tres cuartos al pregonero de los quebraderos de cabeza que pudiera costar ese arreglo. A una amiga íntima, si llamaba por teléfono con la proposición de salir a dar una vuelta, se le podía decir: «Ahora no puedo, oye, que estoy sin arreglar», pero con un chico no era normal hablar de eso, a no ser que ya se hubiera convertido en novio formal, y aun así con reservas. Lo que más rabia daba era que él luego no supiera apreciar aquel esfuerzo, que no se fijara en que el peinado o el traje eran distintos, o que dijera: «¡Pero qué más da, mujer, si tú estás bien de cualquier manera!»

La explicación de que una muchacha se resistiera a recibir frases como esta en su significado de piropo directo y espontáneo, en vez de interpretarlas como una ofensa, hay que buscarla en el mismo cariz de defensa o parapeto que tenía el arreglo de una mujer decente. Solamente otra de la misma condición podía calibrar el mérito de aquellos clandestinos preparativos. Aquel cepillar, planchar y quitar manchas a puerta cerrada, aquel extender cuidadosamente las ropas sobre la cama, aquella delicada tarea de sentarse en combinación a ponerse las medias, ajustarlas al pie e írselas subiendo despacito para no deteriorarlas con las uñas, hasta prenderlas en los broches de la faja; y luego procurar que el vestido, al entrar por la cabeza, no deshiciera la armonía de los bucles, eran gestos puntuales, casi rituales. Y condicionaban, naturalmente, la actitud posterior, siempre algo envarada por la necesidad que se sentía de amortizar aquellos esfuerzos y no echar a perder el conjunto.

La relación de la mujer con sus ropas, mucho más respetuosa y menos desdolida de lo que había de serlo en el futuro, es de fundamental importancia para entender también su relación con los hombres, a los que tanto arreglo intimidaba, aunque en principio fuera dedicado a ellos. Arreglarse (que no en vano lleva engastada la palabra «regla» en su etimología) era una ceremonia principalmente encaminada a atraer a un hombre, pero, eso sí, sin que se notara que se le quería atraer. En todos los detalles de aquella ceremonia se traslucía la estrategia de la chica decente para hacerse respetar y no dar demasiadas facilidades frente a los posibles acosos de un amor impetuoso o repentino. El «desarreglo» los podía propiciar.

La prenda clave, por afectar a la zona más sagrada e inquietante del cuerpo femenino, era la faja. Ninguna chica decente de los años cuarenta pudo librarse de aquella sujeción ni de sus molestas transpiraciones. Algunas se atrevían a suprimirla en verano, época particularmente temida por los predicadores y moralistas. El verano, propiciador por excelencia del «desgobierno», autorizaba a ciertas libertades como la de suprimir la faja, acentuar los escotes y quitarse las medias, bajo el falaz pretexto del calor. A la iglesia, por supuesto, estaba totalmente prohibido entrar sin medias o con manga corta. Algunas feligresas remediaban este segundo extremo aplicando a su antebrazo, antes de entrar en la casa de Dios, unos curiosos manguitos del tipo de los que usaban los carniceros, con gomas en el codo y en la muñeca.

Pero el tema más candente de todos, en cuanto empezaban a apretar los calores de fines de junio, era el de la moralidad en las playas. No era entonces el veraneo costumbre tan extendida como en la actualidad, pero tal vez por eso mismo se intuían los desmanes de libertad que podrían llegar a colarse por aquella brecha peligrosa. Junto al mar, sobre todo, símbolo sempiterno de perturbación, misterio y sensualidad, el cuerpo se ensanchaba y clamaba por sus fueros. Aquellos bañadores «lástex» con faldita incorporada, que tendían a sustituir los rigores de la faja, no eran, con todo, lo bastante tranquilizadores para censores tan estrictos como el padre Laburu, el padre Sariegos, el padre Venancio Marcos o el famoso cardenal Gomá, que en su libro *Las modas y el lujo* llegaba a evocar la muerte de aquellas «diosas carnales» en tonos apocalípticos.

> Y ellas, que andan por la tierra como diosas carnales, buscando los ojos de sus adoradores, no piensan que, dentro de poco, aquella figura tan alabada, tan adorada por los hombres sensuales, será un montón de corrompida materia que habrá de apartarse de la vista de los hombres por hedionda, que apestará con su hedor, que no tendrá más caricias que las de los gusanos que la festejarán para devorarla.[17]

Los célebres bandos de moralidad pública en playas y piscinas prohibían terminantemente a aquellas diosas carnales tomar el sol sin albornoz o llevar demasiado descubierta la espalda. Y ya no digamos nada del uso del pantalón, que merece reflexión aparte.

La polémica sobre el pantalón femenino, como la del uso del tabaco, tuvo un peculiar matiz que rebasaba los límites de la moralidad para incidir en otro campo tanto o más digno de defensa: el de las esencias mismas de una feminidad que había de ser cuidadosamente delimitada. Todavía en los años sesenta, cuando ya se había impuesto este atuendo por su comodidad, coleaban las diatribas que se negaban a admitirlo. Y es muy interesante reproducir algunas de las razones invocadas.

137

Ante la extensión cada vez mayor de los pantalones femeninos y ante la importancia que reviste este fenómeno actual, no puede el escritor (quedarse)... sin señalar esta anomalía, este absurdo y esta aberración de que una mujer se vista a contrapelo de su naturaleza. Según este proceder, podría aparecer de la noche a la mañana la moda de que los hombres salieran a la calle vestidos de mujer, con falda larga, peineta, rizos, abanicos, pinturas, pendientes, collares, anillos, dijes, ojeras rasgadas..., falda ceñida..., escotes por todos los ángulos... Vistiéndose de hombre, adquirirá la mujer los modos hombrunos..., gestos, palabras, y hasta el tono de voz sonará en bronco, desechando ex profeso la cuerda de tiple que es su fonética propia.[18]

Tampoco las chicas de los años cuarenta dormíamos con pijama. Se usaban unos camisones muy amplios de manga larga y abotonados hasta el cuello. Solamente en los ajuares de novia se veían modelos un poco más atrevidos y escotados, que las amigas de la prometida contemplaban con una mezcla de envidia y malicia. El mismo hecho de desnudarse para meterse en la cama estaba contagiado del ritual pudoroso a que constreñían las prédicas incesantes sobre los peligros de complacerse en el propio cuerpo. El camisón, si se dormía en el mismo cuarto con una hermana o con otra amiga, se metía por la cabeza antes de quitarse las bragas y el sostén y luego se manipulaba por dentro de aquella especie de tienda de campaña improvisada para despegar del cuerpo esas dos últimas prendas íntimas que constituían el último valladar contra el pecado.

Pero esto ya eran palabras mayores, las de la ropa interior. No iban generalmente por ahí los sueños de amor de la chica pudorosa, que se arreglaba para gustar. Sus aspiraciones eran más limitadas, superficiales y modestas, y afectaban a otras zonas del cuerpo menos erógenas. Una de ellas, la más importante, era la cabeza y su ornato.

Con relación al pelo, primer reclamo erótico y tentación de caricia, aún no pecaminosa aunque sí fuente de desorden, las normas aconsejaban recogerlo o disponerlo en bucles bien colocaditos. Se solían recomendar

... peinados recogidos sobre la nuca en un bucle o moño, peinado hacia un lado donde acaba prendido en rizos, cabezas ligeramente onduladas o rizadas.[19]

Pero había que tener cuidado con los rizos, que no se desgobernaran tampoco demasiado. Un texto dice:

> La moda se inclina hoy a los bucles y a los ensortijados. Los bucles o rizos han de caer en ligera cascada sobre las sienes, procurando siempre que no se convierta en catarata del Niágara.[20]

Se llevaban también los turbantes y, sobre todo, los pañuelos a la cabeza, anudados en la nuca o bajo la barbilla, lo cual daba a la usuaria un aire de aldeana regional, muy grato a las consignas de la Sección Femenina. A principios de la década de los cincuenta, esta forma de esconder el pelo y privarlo de sus encantos naturales empezó a no gustar tanto. En una encuesta hecha a hombres por cierta revista femenina, la mitad de los encuestados dijeron que encontraban deportivo y práctico el pañuelo a la cabeza en las mujeres; la otra mitad confesó que les parecía feo y vulgar.[21] Pero lo que se veía generalmente muy mal era «soltarse el pelo», expresión que metafóricamente se empleaba también para aludir a cualquier actitud de desmesura, de romper diques. En la cabeza de una chica honesta, cuantas más horquillas, mejor. La mujer desgreñada o desmelenada traía, además, recuerdos de una época de desgobierno.

> Esas terribles melenas –dice un texto–, que cayendo por la espalda y los hombros, te dan cierto parecido con un horrible tipo femenino lleno de recuerdos de una época trágica que, si debemos tenerla siempre presente, no debe ser precisamente tu peinado el llamado a recordárnosla.[22]

En este sentido, el estreno a mediados de los cuarenta de la famosa película *Me casé con una bruja,* donde la nueva estrella Veronica Lake llevaba una melena totalmente lisa y sin prendedor ninguno, que le tapaba parte de la cara, propuso una moda alarmante, contra la que durante bastante tiempo se estuvo poniendo en guardia a las mujeres que hubieran podido sentirse fascinadas por ella.

El estrafalario peinado que la simpática Verónica Lake lucía en *Me casé con una bruja –se recordaba aún unos años más tarde–* ha hecho mucho daño a la humanidad. Por eso lo calificamos nada menos que de «estrafalario». Y es que, en vez de compaginar lo bello con lo útil, la graciosa estrella y sus imitadoras aunaron lo antiestético y lo pernicioso.[23]

Sin llegar a este juicio moralista que entraña la palabra «pernicioso», otras publicaciones ponían el acento en la incomodidad que suponía para cualquier faena llevar el pelo sin horquillas. Lo cierto es que, después de la citada película, habían nacido muchas señoritas *de largas melenas y alardes de veronicalismo.*

En América *–informa el mismo texto–* llegó a tal extremo el plagio a la Lake que tuvo que prohibirse su peinado, debido al perjuicio que esto suponía para las señoritas que trabajaban en oficinas, servicios de guerra y otros menesteres, ya que a causa de las fugaces cegueras que sus volantes melenas les proporcionaban, estas no rendían al máximo en su trabajo.[24]

Por debajo de estas razones de tipo utilitario, latía el miedo a que los modelos femeninos del cine volvieran a poner en circulación el odiado tipo de mujer fatal o vampiresa, tan floreciente en las películas de los años treinta, y que se pretendía dar por desterrado.

Hubo un tiempo en que no se concebía una buena película sin una vampiresa. Ello hizo que constantemente aparecieran en las pantallas unas mujeres de cara muy larga, boca con aire de acento circunflejo y cigarrillo en la boca. Y además un traje negro muy ceñidito... Todo esto pasó... Ahora resulta mucho más difícil encontrar una vampiresa que hacer gimnasia después de haber tenido la gripe... Nos congratulamos de esta escasez de tan pintoresco tipo decadente y convencional, reflejo de una época anodina y falsa.[25]

Los distintivos de la vampiresa por excelencia, cuyo símbolo cinematográfico era Marlene Dietrich, se hacían coincidir con las cejas finas y el cigarrillo en ristre. Entre las incontables amonestaciones que se encuentran en la época sobre la mujer fumadora, he elegido la siguiente:

A los hombres les desagrada enormemente que la mujer fume... Hemos visto que a las mujeres verdaderamente estimadas por sus amigos, jamás estos les ofrecen tabaco. En cambio insisten con aquellas que les parecen propicias a la tentación, a la vez que no consienten a su hermana o a su novia que lo hagan. En lugares públicos, la mujer que fuma se hace acreedora a las impertinentes galanterías de los hombres indiscretos. Parece ser que el cigarrillo es el distintivo utilizado por las mujeres a quienes gusta llamar la atención, y aparentemente ofrecen mayores facilidades para una conquista masculina. Todos los hombres, sin excepción, dejan traslucir en sus miradas una curiosidad maliciosa cuando han tropezado sus ojos con una mujer fumadora. E inevitablemente la juzgan mal.[26]

Con relación al otro distintivo de la «vamp», el de las cejas finas, he encontrado un testimonio muy curioso, donde se presenta a Carmencita Franco (que, por cierto, tampoco fumaba) como redentora de aquella exótica servidumbre.

Hasta hace pocos años las mujeres se sometían a tremendos martirios depilatorios con tal de presentar sobre los ojos un conato de cejas perfiladas. Pero la marquesa de Villaverde, que tiene unos ojos preciosos, decidió exhibir sus auténticas cejas al natural. Y negras, abundantes, sedeñas, han esparcido el contagio. Y he aquí que, por arte de magia, las españolas vuelven a obtener unas «zonas» que parecían perdidas.[27]

Bien entrada la década de los cuarenta, llegó a nuestras pantallas una película americana que trataba de arrinconar el mito de la vampiresa sustituyéndolo por el de la mujer burguesa y casera. Se trataba de *La señora Minniver*. Esta película provocó en España una polémica bastante curiosa. Aprovechando la casual coyuntura de que la actriz que se revelaba en ella, Greer Garson, tenía las mismas iniciales que Greta Garbo apareció en una revista catalana un artículo titulado «¿G. G. o G. G.?», que decía:

> En mi modesta opinión, el tiempo de Greta Garbo ha pasado... Ha sido la última vamp, puede que la más digna, y ha enterrado este tipo... Bastantes Garbos ruedan por esos mundos de Dios, anulando con sus actos lo que de mejor tiene la vida: el calor de hogar, la sencillez, los buenos modales, un corazón sano, la franqueza, la caridad... Voto a favor de Greer Garson y de todas aquellas actrices que nos ofrezcan algo de nuestros pequeños problemas y de nuestras «vulgares» reacciones. [28]

No todas las opiniones, sin embargo, se inclinaban en este sentido. La señora Minniver no podía desterrar, para otros, el recuerdo de la sublime Greta.

> Se quería inútilmente hacernos olvidar a la Garbo... ¿Qué nos importará que esta o aquella artista nos recuerde a la vecina del primero?... Lo que se necesita en el cine, como en la vida, es ilusión, nada más que ilusión. Que el paso de una actriz por la pantalla nos haga soñar con mil amores imposibles, ennoblecidos por el sufrimiento. Y ese es el fallo imperdonable de la señora Garson. El que solo sea una burguesita que quiere vivir su vida sin echarse a volar.[29]

De todas maneras, y al margen de esta polémica, la perfidia en estado puro que se atribuía a las vampiresas cien por cien era desaconsejada invocando todo tipo de argumentos. El lenguaje con que se pretende desmitificar ante las jovencitas de postguerra los estilos de la vampiresa tiene a veces cierta resonancia de reprimenda doméstica:

¡Claro que cuando quieras podrás ser femenina y seductora! Pero cuidado, por Dios, no te vistas de «vamp». Tu encanto consiste precisamente en no ser Marlene Dietrich, no hagas exhibiciones afectadas, no lances miradas a los demás chicos, puede molestar a tu pareja, no hagas apartes, sentándote en las escaleras; están frías, es sucio y resulta feo.[30]

De una manera o de otra, acababa saliendo siempre a relucir el tema de la higiene y del gobierno de la apariencia.

En el rincón de las confidencias, que no faltaba en ninguna publicación dedicada a público femenino, se impartían a dosis iguales las reglas más convenientes de conducta para interesar a un hombre y los consejos para decorar un cuarto, reformarse un vestido o conservar un cutis juvenil. Y el tono de todos ellos es de susurro, de ánimo ante el obstáculo, encomiando la satisfacción personal que produce entregarse a una labor paciente, ya sea la de vencer una pasión o la de conseguir presentarse bien arreglada en una fiesta. Más tarde o más temprano los resultados de este esfuerzo iban a ser apreciados por los hombres, más inclinados a la chica como Dios manda que a la vamp. Opinión que, además, había que rendirse a la evidencia, era la sostenida por la mayoría de los solteros.

Algunos mitos nacientes del cine español masculino, de los cuales muchas jovencitas podían estar enamoradas en secreto, expresaron claramente sus preferencias en una encuesta que se les hizo acerca de cuáles eran para ellos las condiciones de la mujer ideal.

Que considere a su marido como la valla protectora que defienda su ingenuidad de las asechanzas del mundo –*contestó Carlos Muñoz.*

Que la mujer sea para el hombre su secretaria particular ideal, conocedora de sus gustos y de sus ocupaciones... Que sea culta, pero de manera disimulada, que haga entender a su marido que él sigue siendo superior –*declaró José Nieto.*

Y Julio Peña puntualizó:

Es que la cosa varía si se trata de la mujer ideal para casarnos o de las mujeres ideales con las que no nos hemos de casar. Estas pueden ser altas, vistosas, incondicionales del «swing» y de 19 a 31 años. La otra tiene que ser morena, algo menuda, poco llamativa y de 25 años de edad.[31]

O sea que la muchacha que quisiera ajustarse a este ideal no podía ser llamativa ni vistosa. Pero, por otra parte, tenía que conseguir llamar la atención y ser vista entre la multitud de candidatas a casarse que hormigueaban, perplejas como ella, ante la misma encrucijada. ¿Cómo se las arreglaba para esto?

VII. NUBES DE COLOR DE ROSA

Antes de que una jovencita de buena familia fuera presentada en sociedad vistiendo su primer traje largo, ceremonia que la elevaba al rango de las aspirantes a ser elegidas, podía haber aprendido a bailar al aire libre durante el veraneo o colándose, con la bula de sus hermanos mayores, en algún guateque. Pero no había quien le quitara el sambenito de «una cría que todavía no se ha puesto de largo». Si se metía con tontos y flirts antes de los diecisiete años –edad que se consideraba unánimemente como la más idónea para aquella especie de toma de alternativa que era la presentación en sociedad–, se decía de ella que había salido «muy lanzada». No saber esperar la sazón oportuna, siguiendo el ejemplo de los ciclos botánicos y meteorológicos, suponía un cierto desacato a las normas. Ya lo decía la letra de un bolero muy escuchado por entonces:

> Yo sé esperar
> como espera la noche a la luz
> como esperan las flores
> que el rocío las envuelva.
> Yo sé esperar
> que en amor esperar es vencer.

No estaban tan seguras algunas niñas, de natural precoz y testigos desde su primera edad de los estragos de la soltería, de los resultados infalibles de aquella receta, y se lanzaban por su cuenta y riesgo a la emancipación prematura. Pero su impaciencia solía ser reprobada.

Me parece, naturalmente, un disparate que tengas novio a los quince años, y que este sea el sucesor de otros dos y de unos cuantos «flirts». ¿Qué piensas dejar para cuando te pongas de largo?[1]

La verdad es que aquella ceremonia de la puesta de largo casi siempre dejaba la primera estela de desilusión en las almas cándidas que, ateniéndose a los mandamientos del ahorro, hubieran mantenido intactos en jaula los pájaros de la ilusión para echarlos a volar aquel día. O mejor dicho, aquella noche. Porque eran fiestas de noche, y eso era precisamente lo más excitante. Significaban el primer permiso para que una jovencita tomara contacto con la noche sin tener que estar mirando a cada minuto el reloj. Hasta en las novelas más inocentes, las películas toleradas para menores y los poemas que se aprendían de memoria en las clases de literatura del bachillerato estaba implícita la noción de la noche como madrina de posibilidades innominadas y perturbadoras. Y ya no digamos nada de las coplas de corte español o de los lánguidos sones hispanoamericanos, donde casi todo lo que pudiera hacer latir aceleradamente el corazón ocurría indefectiblemente a la luz de la luna.

Pero en la práctica, salir de noche y volver a casa a deshora, abriendo tranquilamente con la llave del portal, era una prerrogativa reservada a los hombres o a las «mujeres de la vida». La entrega de la llave del portal era demasiado simbólica. Ni siquiera las chicas más modernas, de cuyas libertades se habló en otro capítulo, habían accedido a esa conquista, aunque alguna vez trasnocharan.

Las muchachas topolino jamás llevan llave del portal, y en eso favorecen a los serenos, que reciben buenas propinas... Los que hemos hablado con las madres sabemos que el negar a sus hijas las llaves del portal es por no renunciar a su último vestigio autoritario.[2]

El respeto de los horarios fue una de las constantes con mayor resistencia a la alteración en la época que estoy estudiando.

A partir de las diez de la noche, último plazo para llegar a cenar, aunque fuera corriendo y dejando perdido en la fuga un zapatito de Cenicienta, a la chica decente no se le había perdido nada fuera de las cuatro paredes de su cuarto. Eso no impedía, sino todo lo contrario, que pudiera quedarse mucho rato despierta mirando a la ventana e imaginando el ritmo diferente, más relajado, con que continuarían su periplo bajo las estrellas los seres privilegiados que ya tenían llave del portal. Entre estos, naturalmente, siempre había uno o varios rostros masculinos que se idealizaban en secreto, por más que su mueca real a aquellas horas, si no se habían metido en la cama, fuera la del hastío o la del pobre aliciente de irse de putas para remediarlo, materia primordialmente debatida en las tertulias nocturnas de café. Aunque también hablaban mucho del porvenir y de las oposiciones. La mayoría de ellos opinaba que hasta que tuvieran el porvenir resuelto no traía cuenta echarse novia formal. Los muy jóvenes, más proclives por otra parte a enamorarse, se sentían en desventaja con relación a los que ya habían acabado una carrera o la ejercían, que eran los más asediados por las chicas casaderas. Y los otros, al codearse con el «hombre hecho», arrastraban su juventud como una condena.

> Un novio de diecinueve años es casi una birria, Montse. Me gustan los caballeros más hechos. No porque ofrezcan mayores garantías –querer quieren más los jovencitos inexpertos–, sino porque se pueden permitir el lujo de abreviar los trámites del casorio y no ha lugar a las picardías por ley de costumbre o por cansancio.[3]

Pero una jovencita que aún no se había puesto de largo no pensaba en los trámites del casorio, sino en escuchar palabras de amor a la luz de la luna. ¿Estaría pensando en ella aquel muchacho a quien aureolaba en sus insomnios? ¿Hablando de ella con alguien? Podía ser más o menos conocido, incluso haber entrado en la casa por ser amigo de un hermano mayor y haberla mirado a ella con una simpatía especial. Pero la incógnita estremecedora era la de adivinar cómo se comportaría a partir de las diez de la noche y sobre todo en la gran noche de la puesta de largo, cuando se dirigiera a ella para sacarla a bailar como a la protagonista número uno de la fiesta, sin ver a ninguna otra. Le diría, por ejemplo, «Te rapto para mí», como Felipe Arcea a Sol Alcántara en la novela *Vestida de tul,* literalmente devorada por las jovencitas de postguerra. Aunque, para ser justos, hay que reconocer que las mejores páginas del texto, anteriores a este éxtasis, son aquellas en que Carmen de Icaza deja constancia de la banalidad general de las conversaciones masculinas durante una puesta de largo, en un intento bastante eficaz de desmitificación de la misma. Lo que pasa es que no se atreve a llevarla adelante, porque sería demasiado duro de aceptar para sus lectoras que la vida no es como una novela, y saca a Felipe Arcea, el hombre gastado y atormentado pero muy espiritual y al mismo tiempo protector de la mujer, un verdadero personaje de novela.

A las presentaciones en sociedad, ya se celebraran en casas particulares, si se trataba de una familia muy pudiente, o en algún casino o círculo recreativo, acudían tantas chicas vistiendo sus primeras galas de mujer en aquella misma fecha y todas tan peripuestas, tímidas y anhelantes que la reacción varonil más frecuente era la de la cautela, la de no significarse demasiado con ninguna. Bailaban con ellas como con miedo a arrugarlas, por un lado, y a decepcionarlas, por otro. Y no sabían muy bien de qué hablar.

Hay que tener en cuenta, además, que no se trataba de fiestas de jóvenes solos, sino que se desarrollaban bajo la vigilancia de personas mayores, pendientes de reojo de las posibles libertades de los danzarines. Y eso contribuía al encogimiento. La noche, adjetivada de sensual, tibia y tropical en la letra de los boleros y foxes lentos a cuyo son se bailaba, no concedía su borrachera de aventura más que a los que transgredían sus umbrales sin miedo. Y perder el miedo a dejarse llevar por el ritmo que la música imprimía en el cuerpo y por los efluvios mismos de la noche era lo que más miedo daba. Y al mismo tiempo, lo que más se estaba deseando. «Déjate llevar —solían decir los más atrevidos, con un tinte de impaciencia en la voz, sobre todo si habían bebido algo–. ¡Si es que no te dejas llevar!» Y, a partir de comentarios como este, el silencio se hacía más embarazoso, porque mientras trataban de disimularse los esfuerzos por seguir manteniendo una distancia prudente entre los cuerpos, aquellas lánguidas historias susurradas por el vocalista o la animadora de turno junto al micrófono se clavaban en el alma como un sarcasmo.

> De la marimba al son te conocí
> y al contemplarte fui de la ilusión
> el prisionero que viene a cantarte
> las penas de su corazón.

No. La chica recién puesta de largo, aunque hubiera bailado mucho y dijera que se había divertido, al llegar a casa y colgar el traje de noche en el armario casi siempre tenía que reconocer que la habían defraudado en sus expectativas. Ningún hombre había venido a hablarle de las penas de su corazón.

Y era un requisito casi indispensable dentro de la noción confusa y exaltada del amor que la mujer elaboraba, apoyándose en modelos literarios y del cine. La represión de la sexualidad femenina desaguaba en el ansia de confidencia, de lágrimas compartidas. Por eso se idealizaba al hombre «atormentado». Enamorarse era, en cierto modo, tener acceso a la naturaleza de esos presuntos tormentos varoniles, rodeados siempre de cierto misterio.

A los 17 años, Juanita no vive más que de novelas; sueña con un hombre de 30, de espíritu atormentado, que se enamore locamente de ella. A los 18 se enamora de un joven al que no conoce más que de vista, pero que tiene el rostro y la figura de «su héroe». Al fin consigue atraparlo. Él un día está amable y otro ni la saluda. Ni se ha fijado en ella. Pero Juanita no puede abstenerse de «novelar»... A los 20 le conoce más a fondo y es vulgar, no un Gregory Peck con complejo de *Recuerda*. Se enamora de otro al que rodea de misterio e ilusión. A los 30 está empleada y sigue atiborrándose de novelas. Tiene un novio corriente y buen chico, al que desprecia porque no se parece a sus

149

héroes predilectos. A los 35 sale con otro, pero es un don Juan vulgar. A los 50, para consolarse de su soltería, sigue leyendo novelas.[4]

Pero lo curioso es que esta misma publicación, donde se caricaturiza a la chica «novelera», suministraba, a través de los relatos cortos que puntualmente aparecían en sus páginas, pasto suficiente para la consolidación del arquetipo Juanita, que podía florecer en todas las clases sociales.

Porque también las chicas modestas, que tenían un trabajo rutinario y nunca se iban a poner de largo, eran fervientes consumidoras de aquella droga que semanal o mensualmente les iba a deparar su encuentro en el papel con un hombre «distinto», o que las hiciera creer que ellas podían ser distintas. Cuanto más desgraciadas se sintieran en la realidad, más necesitaban de aquella identificación con las heroínas inventadas por M.ª Mercedes Ortoll, M.ª Luisa Valdefrancos o Concha Linares Becerra, a las que cuando menos lo esperaban les llovía del cielo una ilusión que las hacía sentirse transfiguradas, distintas. El mago de esta alquimia, por supuesto, era siempre un hombre.

Uribe, el protagonista de una novela de los años cincuenta, confiesa que su éxito con las putas consiste en que las encandila mediante la palabra, sacándolas por unos momentos de su horrible realidad.

> Y me quieren porque les hago creer que son distintas. Las engaño. Les doy magia.[5]

Las mujeres, efectivamente, ya de antiguo, hacían coincidir el amor con la magia de las palabras dulces, bien dichas. Y esta magia, aunque alimentada en el plano argumental por medio de trucos bastante monótonos y burdos, era la que explotaban algunas de aquellas novelitas aparecidas en publicaciones femeninas, cuando elegían a sus protagonistas entre chicas de clase social inferior, dependientas, costureras o secretarias, ansiosas de vivir el mito de la Cenicienta. A veces no eran siquiera novelas, sino cómics.

En un cinegrama en setenta y dos cuadros aparecido en la revista *Chicas* y que se titula «Daisy la tímida», se nos presenta a esta como a una muchacha venida a menos y que vive en los suburbios. Naturalmente son unos suburbios abstractos a los que se alude de pasada y situados en un país ilocalizable, porque además Daisy se llama Templeton de apellido, para que nada tenga que ver con la miseria del extrarradio español, a que se hizo referencia en otro capítulo. Las normas sobre la prensa infantil y juvenil, aparecidas en enero de 1952, prohibieron, entre otras *las historietas o cuentos que fomenten el derrotismo, el odio de clases, los apuros monetarios y los noviazgos de las tatas.*[6] O sea que la historia de Daisy, si caía en manos de una niña rica, no tenía por qué despertarle más que una vaga compasión por los desheredados de la fortuna, de cuyos problemas concretos no hay que saber detalles. Daisy trabaja todo el día en la casa o cosiendo para unos almacenes, y por las noches estudia. Marga y Sara, antiguas compañeras de escuela, la invitan a una fiesta. Ella al principio no quiere ir porque no tiene qué ponerse, pero acaba aceptando y arreglándose lo mejor que puede. En la fiesta la saca a bailar un aviador y le dice palabras encendidas. En un momento en que la deja para ir a buscar un refresco, sus amigas comentan que la ha sacado a bailar por caridad. Ella huye y llega a su casa hecha un mar de lágrimas.

En el mundo no se aprecia a las personas, mamá –*le dice a la señora Templeton–,* solo los trajes y los adornos.

Pero el aviador, al notar su ausencia, interroga a Marga y Sara y se indigna al saber que han humillado a Daisy. Sin pensarlo más, corre a buscarla a su casa. Y en uno de los recuadros finales, se le ve hablando con la madre, con las mejores maneras de un hombre de mundo.

Perdone, señora Templeton –*le dice–.* Cenicienta tiene que volver al baile.[7]

Por supuesto que no siempre las transposiciones del mito de la Cenicienta eran tan elementales y pueriles como la citada.

Algunas autoras como Carmen de Icaza y las hermanas Linares Becerra, Concha y María Luisa, le dieron otros visos de cosmopolitismo y modernidad. Pero aquellas protagonistas de las novelas, que se veían obligadas a trabajar, habían recibido casi indefectiblemente una educación esmerada, eran inteligentes, eficaces, guapas y sensibles, y por eso podían llegar a llamar la atención de un hombre de clase social superior.

Se exaltaba mucho la figura de la secretaria, que era de hecho una de las profesiones más extendidas en la postguerra, y que la Sección Femenina recomendaba como particularmente idónea para la mujer. En un poema de Francisco Javier Martín Abril, donde se describe a la secretaria como *humilde sombra en el despacho grande,* se insiste en el aspecto, siempre novelesco y emocionante, de la chica venida a menos que se ve obligada a trabajar y que alimenta sueños de amor. Al final, como compensación a sus fantasías, se la consuela hablándole del premio que en el más allá recibirá, convirtiéndose en secretaria del Supremo Hacedor.

> ¿Cómo es tu casa, chica de oficina? / ¿Murió tu padre, magistrado o médico? / ¿Tienes hermanos que te piden libros / de cuentos o propina los domingos? / ... Tú ves, cuando te miras al espejo / de la máquina negra donde escribes, / que no eres fea, que eres como muchas / que se han casado con muchachos altos. / A veces lloras en silencio opaco, / mientras despachas un montón de cartas. / Pero nadie lo nota, ni tú misma, / acostumbrada a ser sombra sumisa. / Y Dios, que sabe todas tus virtudes, / te hará su secretaria, María Luisa.[8]

Pero había una peculiaridad en esta profesión, relacionada con el deseo femenino de recibir no solo órdenes, sino también confidencias. La secretaria, como receptora de los «secretos» de un hombre, estaba bastante predispuesta a enamorarse de su jefe, precisamente porque este podía llegar a encontrarla distinta, insustituible, al sentirse «comprendido» por ella en el terreno profesional. Ahora bien, ¿dónde estaban las fronteras entre este terreno y el de la vida privada?

Ya hemos visto en el capítulo anterior cómo el actor José Nieto —y, por supuesto, no era el único hombre que opinaba eso— hacía coincidir a la mujer ideal con la secretaria particular ideal, conocedora de sus gustos y de sus ocupaciones. Por eso existen en la prensa de la época algunas advertencias, más o menos alarmistas, sobre el peligro que en este aspecto podía suponer una secretaria como rival de la mujer casada.

> Tú, mujer, cuyo marido es doctor en Medicina, ¿por qué —aunque te cueste un poquito al principio— no procuras permanecer cerca de él en la clínica sirviéndole de ayudante en todas aquellas cosas que esté a tu alcance desempeñar?... Tú, la que el compañero de tu vida descuella en el foro, en la cátedra, en la política, ¡por qué no intentas, si tu instrucción te lo permite, ser la secretaria de tu esposo? ...(Si no lo haces)... entrará en tu hogar una mercenaria que tal vez, al vivir esas horas de trabajo y afán, de lucha y satisfacción ante el triunfo, de desaliento ante el fracaso... insensiblemente irá ocupando un puesto en el corazón de él... y quién sabe si entonces empezará a labrarse para vosotros... una infelicidad irremediable.[9]

Pero, según otros textos, de este cliché de la secretaria sentimental, no tenía la culpa el jefe ni aquellas señoritas

> laboriosas, pulcras de espíritu y presencia, que acuden con puntualidad y se someten sin comentario a las órdenes y a las horas, que llevan ficheros, anotaciones y cuadernos con un orden perfecto y minucioso, supliendo así la menor capacidad inteligente que le supone la opinión varonil.

No. Nada de eso. La culpa la tenían las novelas y el cine.

> El cine, las novelitas rosa sin imaginación y otros peligros del mundo han dorado de una falsa personalidad a la secretaria. Parece que les gusta mucho que todas sean coquetas y adopten actitudes sentimentales frente al jefe... Un poco de formalidad. La vida no es ni debe ser nunca una añagaza de novela.[10]

Este debate sobre si la vida era o no una añagaza de novela no impidió que las mujeres siguieran leyéndolas, sobre todo porque la mayoría de las que se publicaban iban destinadas a ellas. Y esto ya lo sabían todos los autores del mundo desde hacía más de un siglo, incluidos los que pretendieron, como Flaubert o Clarín (por citar solamente dos casos), transmitir mediante sus ficciones el mensaje de lo perjudicial que podía ser para una mujer vivir alimentándose de novelas.[11]

> Si las mujeres dejaran de leer de pronto –había escrito un humorista español–, todos los que nos ganamos la vida escribiendo tendríamos que emigrar al Níger.[12]

Visto el mal remedio que eso tenía, todos los que se quisieron aplicar en la postguerra contra la imaginación femenina propicia a inflamarse no pasaron de ser paños calientes.

Las lecturas que se consideraban más peligrosas eran, con todo, las pesimistas.

> Convienen los libros alentadores que levanten el ser a definitivos propósitos, que nos lleven a ser cada día mejores y que indiquen a hacer algo útil en el mundo; por el contrario, debemos huir de las lecturas pesimistas; es uno de los factores que más poderosamente influyen en el endurecimiento del espíritu.[13]

En la práctica no se sabía muy bien dónde estaban aquellos libros que levantaban el ser a definitivos propósitos, porque si el propósito más definitivo de la mujer era casarse, como ya ha quedado bien claro, también estaba bastante claro que a la consecución de aquel propósito no la ayudaba mucho la lectura asidua de las novelas rosas, totalmente tergiversadoras de la realidad.

> La novela rosa –escribió una autora que, por otra parte, no se alejó demasiado en sus argumentos de «lo rosáceo»– es algo llamado a desaparecer por absurdo. Es un pomo de veneno en manos femeninas. La novela rosa acaba siempre donde comienza la vida: en el matrimonio.[14]

Empezaba a ser descalificado el género incluso por parte de quienes lo cultivaban. Azorín se atrevió en 1944 a publicar *María Fontán* con el subtítulo de «novela rosa». Pero en cambio Carmen de Icaza y Concha Linares Becerra protestaron por las mismas fechas, declarando sus preferencias por un color más aséptico y que comprometiera menos la definición de sus historias. Ambas dijeron que su novela no era «rosa» sino «blanca» y moderna.[15]

En que las novelas rosa no eran modernas ni reflejaban la realidad estaba de acuerdo casi todo el mundo. Pero tampoco se podía poner demasiado de manifiesto lo crudo de la vida, hubiera resultado escandaloso.

Rosa María Aranda, zaragozana casada con un militar y colaboradora asidua de *Medina, La moda en España* y *Fotos,* declaró en una ocasión:

> Yo no escribo novelas rosa (a riesgo de que me llamen petulante y vanidosa)... Mis novelas no son crudas y violentas porque me retirarían el saludo mis amistades, porque no me comprenderían, pero nada más lejos de mí que la novela cursi, sentimentalmente solterona... Parece que una mujer no puede escribir más que cosas de las llamadas «rosa»: un niño calavera millonario, una aristócrata arruinada metida a señorita de compañía, la boda... Y esto no es la realidad. Yo quisiera escribir una novela cruda, real, psicológica.[16]

Ángeles Villana reconocía que el género «rosa» daba mucho dinero a sus cultivadores, pero decía también:

> Las niñas se ruborizan e indignan si se las califica de «chiquillas de novela rosa», y no conozco a ningún escritor de primera ni última fila que admita por las buenas que pueda ser productor de engendros de semejante tipo... En España –*reflexionaba luego con bastante acierto*– no existe apenas una novela intermedia, ligera e interesante. De la copia rosa pasamos a copias con caracteres rudos y difíciles, ambientes que repugnan a los paladares acostumbrados a la fácil trampa y a la dul-

zura de un final que premia a la niña rosa, huérfana y que enamora y se enamora cantando y contando cursiladas.[17]

Precisamente por las fechas en que se escribían estas declaraciones, se iniciaba el éxito de una novela, *Nada,* que, a pesar de estar escrita por una mujer, significaba la antítesis de lo «rosa». Pero el análisis de la repercusión del texto de Carmen Laforet nos alejaría mucho del propósito de este trabajo, ya demasiado ramificado de por sí.

Lo que intento dejar insinuado, de momento, es la ambivalencia que presidía los criterios de selección seguidos para encauzar en la postguerra la tendencia femenina a alimentarse de literatura.

Se desaconsejaban los autores crudos o inmorales como Pedro Mata, pero también *La Regenta,* calificada como *admirable novela, pero no apta para señoritas.* En el mismo artículo donde se despacha la ficción de Leopoldo Alas con tan insatisfactorio resumen, se aconsejan autores como Concha Espina, Fernán Caballero, Concordia Merell, Eugenia Marlitt, Berta Ruck, Alarcón y Pérez Lugín. De este último particularmente se encomia *La casa de la Troya,* paradigma de novela rosa que pocas jovencitas no analfabetas habían dejado de leer. El comentario final a estos consejos dirigidos a la lectora española tiene un tono totalmente retrógrado; donde se ponen de manifiesto las suspicacias contra la «modernidad», de que ya hemos hablado cumplidamente.

> Créame, amiga mía, aprovéchese de todos los adelantos de la civilización en cuanto a lo físico: el teléfono, la radio, el automóvil, pero en cuanto al espíritu, déjele con miriñaque y polisón, cuídele como a un niño, trátele como a un novio.[18]

Especial mención merecen las biografías sobre mujeres que por una causa o por otra habían destacado como excepciones en la política o en la historia de la cultura a lo largo de los siglos. A cualquier investigador de la prensa y del escaso movimiento editorial a lo largo de los años cuarenta le salta inmediatamente a la vista la abundancia de títulos dedicados a ejemplarizar la vida de las mujeres ilustres, con el consiguiente aderezo de material gráfico. Pero aquellas historias, si bien podían «levantar el ser a definitivos propósitos», no dejaban de proponerse nunca como una excepción en la que tampoco convenía que la mujer corriente se viera reflejada. El pueblo español estaba, naturalmente, muy orgulloso de contar con figuras como Santa Teresa de Jesús, Mariana Pineda, Isabel la Católica o Agustina de Aragón, por citar cuatro de las que más salían a relucir a todas horas. Pero su ejemplo había sido más bien un ejemplo para los hombres. Así lo declaraba textualmente un comentario cauteloso sobre aquella aragonesa brava y desmelenada que aparecía en todos los grabados de los libros de texto arengando a los soldados y empuñando el cañón, con las ropas hechas trizas:

> La verdadera misión de la mujer es crear hombres valerosos. Saber infundir en los hombres este valor que ellas ni poseen ni deben poseer ... Los cañonazos de Agustina de Aragón es casi seguro que se perdieron inútilmente... Ella sin embargo –añadía un poco más abajo– fue el ejemplo vivo del deber de todos los hombres de nuestro pueblo.[19]

O sea que también las biografías de mujeres, con las que bombardeaban a sus lectoras todas las publicaciones femeninas y que descollaban sin ningún tipo de «nihil obstat» entre los títulos de los «Libros recibidos», había que tomárselas no solo a pequeñas dosis sino también un poco a beneficio de inventario:

> A mí personalmente me encantan las biografías –declaraba una consejera sentimental–. Pero si te dejas llevar y quieres revivir en todas las figuras pueden ser peligrosas. Una mezcla de María Antonieta, la Duse, Cristina de Suecia, la señorita Lavalière y Santa Teresa de Jesús sería muy interesante desde el punto de vista psicológico... Pero para andar por la vida normalmente, un lío horroroso.[20]

El lío verdaderamente horroroso era poner de acuerdo aquellas prédicas encontradas que obligaban a caminar entre la ilusión y el desencanto, el ardor y la sensatez, el optimismo y el pesimismo, la valentía y la pasividad como por el filo de una navaja.

Las dificultades para la resolución de aquel jeroglífico se veían incrementadas porque continuaba vigente en todos los textos de corte falangista la retórica del heroísmo. Había muchos que se resistían a que las cosas volvieran a la normalidad.

> Normalidad se denomina en ortodoxa acepción librecambista el aburguesado «seguir viviendo», o el castizo y proletarizante «ir tirando». Vivir y tirar penosamente, cobardemente, rechazando el sacrificio de una generación... La normalidad – acepten mis respetos los viejos– es una herejía... La normalidad es opresora para la juventud, que exige andaduras de dificultad... A la Historia se pasa clamando alturas y abarcando horizontes.[21]

La expedición española que con el nombre de División Azul partió hacia Rusia en 1941 con el quijotesco propósito de aplastar el comunismo mundial volvió a conceder protagonismo a la novia del héroe.

> Piensa que tu novio es uno más en la enorme lista de valientes dispuestos a aplastar el comunismo, que, como tú, hay muchas mujeres que despiden a seres queridos, pero saben sobreponer a la pena de su marcha el inmenso orgullo de su hombría.[22]

La mujer fuerte tenía que saber sorberse las lágrimas y olvidar los ridículos síncopes de las novelas sentimentales, con lo cual volvió a revivir el protagonismo sublime de la enfermera.

> Cientos de tocas blancas se inclinaban ante la cama del herido. Sangre y muerte en los hospitales de guerra. Y el ridículo pomo de sales de la abuela arrinconado en algún cajón del viejo tocador. La nieta enfermera sabe que no hay nada más femenino que su fortaleza.[23]

Mario Coloma, un periodista entusiasta, que entrevistó en julio de 1941 en la Escuela del Hogar de la Sección Femenina, sita en el Paseo del Cisne de Madrid, a un grupo de muchachas dispuestas a partir hacia Rusia con la expedición española, encomiaba su mezcla de feminidad y fortaleza en un tono no demasiado diferente del empleado en algunas novelas rosa escritas por mujeres que, como Carmen de Icaza, decían abominar del género.

> Todas han luchado –*dice*– en la guerra y en la paz. Algunas dieron su sangre. Muchas saben del horror de las «checas», de familiares desaparecidos, de hogares saqueados. Pero hay risas, alegría, juventud. Y una alegría que palpita hasta en el dormitorio que pueblan numerosas camas coquetamente decoradas en azul y maletas que esperan la orden de partir.[24]

Pero, aparte de este breve rebrote de heroísmo que significó la aventura fallida de la División Azul, la misma guerra española, aún reciente y que para muchos de sus encendidos panegiristas no podía aceptarse que hubiera pasado en vano, había dejado una huella indeleble en las relaciones amorosas interrumpidas, afirmando a la mujer –enfermera o no– en su papel de restañadora de heridas del superviviente. Es decir, que no existían solamente las enfermeras de heridas de guerra, sino las de heridas de postguerra, cuyo cometido era a veces mucho más ingrato y sórdido. Estas eran las madres abnegadas y valientes cuyo espíritu de sacrificio se siguió poniendo de ejemplo a las muchachas casaderas durante dos generaciones, aunque ya a la segunda con mucho menos fruto.

> De la madre aprenderá / la joven / a ser sufrida y paciente, a perdonar y seguir amando... sin que la fatiga agote su fortaleza de espíritu ni la impaciencia malogre su esfuerzo, ni la incomprensión la aparte de su deber.[25]

En una novelita del año 50 se nos presenta a un estudiante, Miguel, perdidamente enamorado de Julieta, y a quien la impaciencia por estar a su lado y decirle frases encendidas desvía de sus estudios. El padre de Julieta le cuenta a esta que a él también de joven le gustaba perder el tiempo diciéndole esa clase de tonterías a las chicas, pero cuando volvió del frente con la depresión de la postguerra *tu madre me recibió como a un niño enfermo y desalentado a quien hay que levantar. Me hizo preocuparme seriamente por mi porvenir.* El ejemplo de su madre cala muy hondo en Julieta, que acaba siguiéndolo y metiendo en vereda a su novio.[26]

En cuanto a una versión más romántica del amor, aunque basada igualmente sobre el espíritu femenino de sacrificio, la guerra había fomentado las confidencias epistolares entre desconocidos de sexo contrario mediante la institución de las madrinas de guerra, encargadas de consolar (con mayor o menor eficacia, de acuerdo con su imaginación y dotes literarias) a un soldado del que podían acabar enamorándose sin haberlo visto nunca. Todavía en la década de los cuarenta coleaban algunas de estas relaciones epistolares que, si no habían desembocado en noviazgo, generalmente eran ya un engorro para el ahijado, mientras que para la madrina podían seguir siendo una dulcísima obligación.

> Las correspondencias entre desconocidos con pretexto de madrinazgo se han generalizado tanto que ya no se discuten. A mí... me parecen bastante peligrosas para el femenino corazón, siempre bien dispuesto a enamorarse. De cien casos, en 143, las madrinas están enamoradísimas del ahijado, y de cien casos, en 142 los ahijados tienen varias madrinas al tiempo.[27]

Y así se consolaba todavía en 1944 a una muchacha, posiblemente ya no tan joven, a quien su ahijado había dejado de escribir cartas:

> Esperemos que tu antiguo corresponsal venza sus complejos y escriba. Vosotros, tanto tiempo separados y con tantos factores de inquietud y guerra como temas de charla, bien podéis encontrar distracción para los diálogos.[28]

Estos factores de inquietud y guerra, como hilo conductor de conversación y posible acicate amoroso, se fueron volviendo inoperantes a medida que se iba haciendo un hueco en la sociedad, aunque a duras penas, aquella «normalidad burguesa» de que se quejaban los falangistas apeados de sus ideas. Pero siguieron funcionando como recurso literario infalible. La guerra, no solo aquella nuestra que unos pretendían olvidar y otros no querían, sino las que por aquellas mismas fechas sembraban de cadáveres el mundo, servían de argumento más o menos indirecto a muchas novelas o películas de las que hacían llorar.

Las chicas siempre llevaban al cine un pañuelo y cuanto más humedecido y hecho un gurruño lo sacaran de la sala, mejor les había parecido la película. Era índice de sensibilidad recorrer el camino de vuelta a casa con una actitud desmayada y la mirada perdida en el vacío, sin prestar demasiada atención a las conversaciones de las amigas. Si alguna iniciaba los comentarios diciendo: «Hija, no sé qué os habrá parecido, yo la he encontrado demasiado triste», siempre había otra que replicaba casi ofendida: «¿Qué dices? Era buenísima, por Dios, yo me he hinchado de llorar.» Y era un argumento que no tenía vuelta de hoja. Las películas que más hacían llorar eran las que acababan mal, igual que las novelas, las que contaban una historia condenada a convertirse en recuerdo, las que exaltaban la fugacidad del amor romántico, hecho de renuncia, de lágrimas a la luz de la luna, de separaciones desgarradoras. Había instantes inolvidables que valían por toda una vida. Y era un mensaje que venía implícito también en la letra de un sinfín de canciones de las que emitía la radio y que casi todo el mundo se sabía tan de memoria como el padrenuestro. Porque las canciones de entonces eran mucho más su letra, es decir, la historia que contaban, que su música. Recordar su letra era como hacer propio, al recordarlo, el gran amor que se evocaba en ellas.

> Fue solamente un instante
> lo que duró nuestro amor
> pero un momento es bastante
> para gozar de una flor.

Aquella noche ha pasado
no volverá nunca más
tú ya no estás a mi lado
pero en mi pecho aún estás.

Recuérdame en tu soñar
y luego al despertar
sin tú saber por qué.
Recuérdame.

Se trataba, en definitiva, del afán por dejar huella en alguien
para siempre. Y sobre todo en el hombre difícil, impenetrable,
despedazado por algún tormento o conflicto. En una palabra,
en el hombre interesante. Ya dijimos al hablar de la soltería femenina que la muchacha «rara» o con complejos no solía ser
cebo erótico; aunque la acompañara un físico agraciado era un
tipo que no interesaba a los hombres, vivía incomunicada. El
hombre difícil y desconcertante también podía vivir aislado,
pero en seguida se daba cuenta de que aquella actitud interesaba a las mujeres, deseosas de interpretarla. El prototipo, para
muchas jovencitas de postguerra, era el de Laurence Olivier
en *Rebeca,* una de las primeras y más exitosas películas «de
complejos» que se vieron en nuestras pantallas. A lo largo de
toda la cinta, la tarea angustiosa de Joan Fontaine, una tímida señorita de compañía convertida de la noche a la mañana
en esposa de aquel hombre tan esquinado y aparentemente
rudo, era la de descifrar su complejidad a base de aguante y
dulzura. Bien es verdad que en la versión española, la índole
de aquellos complejos de Laurence Olivier no quedaba al final
demasiado clara, porque se escamoteaba el foco fundamental
del conflicto: las posibles relaciones lesbianas que su primera
mujer, Rebeca, hubiera mantenido con la señora Danvers, la
terrible ama de llaves que impedía con su hechizo negativo el
fluido de compenetración entre los nuevos amantes en aquel
maléfico castillo de Manderlay, al que gracias a Dios prendía
fuego quemándose ella misma entre las llamas, lo cual contribuía al final feliz.

Pero, ya digo, el incentivo principal de aquella historia eran las huellas de sufrimiento que se adivinaban bajo la máscara del hombre impenetrable, constante acicate para la curiosidad femenina. Como los hombres no lloraban más que en algún corrido mexicano, se idealizaban sus tormentos callados y se ansiaban con ardor sus confidencias. A ellos parecía que las penas de una mujer les intrigaban menos, más bien les podían aburrir; en líneas generales aceptaban con mayor o menor resignación el tópico de que «a la mujer no hay quien la entienda» y se dedicaban a estudiar otras asignaturas, menos superfluas.

El hombre –dice un texto– da por descontado a la mujer entre las cosas serias y gobernables de la vida, pero la deja a un lado catalogada entre las superfluas, inesperadas y gratas a su placer. La mujer, por el contrario, a excepción de las feministas mayores de cincuenta años, «cuenta» con el hombre para su corazón, su felicidad y su vida; y por eso a ella sí que le causa un verdadero problema el encontrarse con un ser tan desconocido ... de reacciones tan opuestas a las suyas ... que, si muestra a veces un temperamento intelectualmente poético, ... cuando nosotras comenzamos, en cambio, a hablarle de ilusiones, opondrá esta vez a nuestras palabras la más fría lógica realista. Nos desazonará con su impenetrabilidad, su naturaleza impermeable a nuestros más delicados efluvios, inconmovible para nuestras descargas apasionadas y nuestra habilidosa paciencia maquiavélica.[29]

Claro que –todo hay que decirlo– aquella paciente labor de investigadora de las reacciones masculinas en que cifraba su triunfo la mujer muy mujer podía ser en la práctica un verdadero agobio para quien se sentía permanente conejillo de Indias de tan monográfica investigación, que no todas las mujeres, además, estaban igualmente dotadas para llevar a cabo. En aquella «fría lógica realista» en que se amurallaba el muchacho de carne y hueso contra los delicados efluvios de todas las chicas con ganas de casarse que hormigueaban en torno suyo, podía existir también –y de hecho existía– un ingrediente de temor a defraudarlas si mostraba ante ellas la verdadera naturaleza de sus ansias, más motivadas por pasiones carnales reprimidas que por aquellos quintaesenciados jeroglíficos que proponían a las espectadoras contumaces del cine los rostros de Gary Cooper, Alfredo Mayo, James Mason o Gregory Peck.

El hombre asocial y algo neurasténico siempre estaba rodeado de prestigio. Algunos lo eran de verdad, pero otros fingían serlo sin demasiada convicción, y procuraban levantar una ceja, un gesto varonil típico de los héroes del papel y del celuloide, que a las chicas las arrebataba. Yo tengo para mí que algunos lo ensayaban delante del espejo.

Acerca de este tema del hombre que se finge interesante, pero que tiene miedo a que un trato más cercano pinche el globo de las ilusiones de su enamorada, hay un cuento muy significativo de Rafael Martínez Gandía, y bastante bien escrito, por cierto. Se titula *Carta olvidada* y consiste casi enteramente en el texto de esta carta, escrita a una tal Cristina por un muchacho que le confiesa con toda sinceridad por qué no se atreve a hacerle una declaración de amor.

> Me gustas, Cristina, y eso es todo... Pero ¿de dónde has sacado esa promesa de matrimonio? ... Me ves todos los días a las dos en punto, tomando tranquilamente mi aperitivo y levantando levemente una ceja porque creo que ese gesto me hace interesante ... También te han dicho que soy algo loco, o por lo menos algo neurasténico. Son especies que dejo circular porque convienen a mis planes ... Te he acompañado a tu casa y me he despedido de ti en el portal mientras esperabas la frase extraordinaria... Has leído demasiadas novelas rosa y no concibes un idilio que no termine en matrimonio. Te quiero tanto que no tengo valor para eso... Te concibo con dos niños..., te veo haciendo cuentas con tu doncella de Cambados y no puedo.[30]

Al final del cuento, el lector se entera de que se trata de una carta atrasada y que nunca se mandó a su destinatario. El presunto hombre interesante, ya casado con Cristina y padre de dos niños, la está releyendo de noche en un cuarto de estar modesto. Ella entra con paso silencioso a decirle que no trabaje hasta tan tarde. Ha engordado. Se meten en la cama amplia comprada a plazos y él pone el despertador a las ocho.

Si tenemos en cuenta que este breve relato desmitificador está publicado en plena aventura de la División Azul, bien podríamos considerarlo como precursor de las corrientes subversivas donde el héroe sería sustituido por el antihéroe, y que poco después el existencialismo francés y el neorrealismo italiano se irían introduciendo en nuestro país, como veremos. De momento, a pesar de las salvedades apuntadas más arriba, a la jovencita no convenía apearla de su pedestal de sueños. Y en este sentido, la novela rosa siguió considerándose durante mucho tiempo como un mal menor, comparada con otros modelos mucho más peligrosos de la literatura.

> A los diecisiete años, Ana presume de intelectual y desprecia a sus vulgares amigas. A los dieciocho, desdeña la novela rosa y lee de todo, aun lo que es inmoral... Así posee una cultura literaria y espinosa que le permite hablar libremente, resultando muy poco femenina y un mucho superior. No hay nada extravagante que no acapare su atención. Practica el surrealismo, el existencialismo y el último «ismo» de moda. Espera enamorarse de un hombre superior, pensador o literato..., pero luego a los treinta y cinco, aburrida, se casa con un bobalicón, que son los únicos que se extasían con ella.

La moraleja de esta historieta, donde se pone de relieve la trayectoria equivocada de Ana, no se hace esperar:

> Si Ana hubiese procurado... no ser tan original, no hubiera caído, huyendo de la novela rosa, en el otro extremo... Porque si la mujer desciende de su pedestal de sueños, delicadezas y espiritualidades al terreno crudo, brutal, de la vida... ¿en qué se convierte lo bueno del mundo?[31]

Las «enseñanzas de invernadero», de que se habló en otro capítulo, pugnaban por desdibujar los contornos del mundo real. Y bajo los efectos de su anestesia, se pretendía apagar la curiosidad de la mujer por hurgar en cualquier cuestión espinosa o «escabrosa», adjetivo que se empleaba muchísimo. Mantenerse joven era distraer la atención que pudiera tender a fijarse en los detalles significativos del entorno o a recabar puntos cardinales para orientarse en aquella especie de isla de ñoña bonanza, a espaldas de la geografía, la historia y la política, donde se quería recluir a las futuras mujeres del Estado español.

Una publicación femenina de la época lo expresaba literalmente así cuando, en una página titulada «Puedes llamarte aún joven si...», prescribía, entre otras, las siguientes actitudes para salir vencedora en aquella encuesta:

> Si, cuando haces un viaje, eres incapaz de acordarte del nombre de ninguna ciudad ni de describir un paisaje, pero te acuerdas perfectamente del color de los ojos y de la sonrisa de todo ser del sexo contrario menor de treinta años... Si encuentras que todo el mundo es bueno, que los malos terminan perdiendo, que todo tiene remedio, que no hay más que desear de veras las cosas para conseguirlas, que no hay en toda la tierra vida tan interesante como la tuya.[32]

Se trataba de exaltar el amor, la belleza y la bondad –con una elementalidad muy de cuento de hadas–, oponiéndolos al odio, la maldad y la fealdad. Pero nunca de preguntarse por las causas del odio y la maldad. En primer lugar porque *en las mujeres el conocimiento analítico puede perturbar las finas arterias de su feminidad*,[33] y además porque una pregunta como esa hubiera lindado escabrosamente con un terreno que en la postguerra convenía esquivar: el de la lucha de clases. Con tan pobre referencia, pues, como la del color de los ojos de un hombre que se cruzara por su camino, se daba por supuesto que la jovencita que salía del invernadero tenía la suficiente orientación para lanzarse a un mundo donde no había vida más interesante que la suya, donde todo tenía remedio y donde los malos salían perdiendo siempre.

Era una retórica opuesta a la del sacrificio y el mérito, pero tan alevosa como ella. Y entre las dos contribuían a acentuar el desconocimiento de las cosas tal como eran. La primera por la vía de la ilusión y del refugio en los sueños; la segunda por el abandono de aquellos sueños en nombre del acatamiento a unas normas que tampoco se adaptaban de un modo flexible a la realidad.

Las jovencitas vivíamos de ilusiones. Si se hiciera algún día el cómputo de las veces que las palabras sueño e ilusión aparecían en las canciones que se cantaban sin cesar por entonces y en los títulos de películas y novelas de mayor consumo, resultaría sorprendente. Se habían incorporado asimismo de forma notable al lenguaje coloquial. «Tiene unos ojos que son un sueño», «¡qué sueño de película!», o «me ha quedado el traje hecho un sueño» eran frases que se estaban oyendo todos los días. Pero probablemente una de las expresiones más repetidas en una conversación entre amigas era la de «me hace ilusión», que no significaba propiamente «me gusta» o «me apetece» (frases estas últimas donde el sujeto revela hacia el objeto una tendencia fundada en algo, una actitud menos pasiva). Era frecuente, por ejemplo, que si una amiga le preguntaba a otra si le gustaba cierto muchacho que la miraba o se acercaba a ella en el paseo, la contestación fuera: «No, gustarme no, mujer, pero me hace ilusión.» El objeto de la ilusión era cambiante, cualquiera podía servir para prender en aquella especie de sustancia gaseosa siempre dispuesta a inflamarse.

Con relación a este peligro incontestable, los encauzadores de la conducta femenina se esforzaban en sus consejos por establecer un terreno de medias tintas, a caballo entre el encanto y el desencanto.

> Es muy bonito pasarse la vida trazando quimeras; pero tiene sus inconvenientes, entre otros el de que un día te encontrarás con la realidad y no estarás preparada para recibirla. No puedes forjarte un mundo tuyo, tan tuyo que todo pierde su verdadera forma y color y toma los que tú quieres darle. No seré yo quien te coloque las gafas del desencanto y la desilusión, pero sí me gustaría graduarte la vista para que puedas apreciar todo en sus verdaderas proporciones.

Pero ¿cómo graduarle la vista a una jovencita ilusionada, sin hacerla caer en las fauces, mucho más temibles, del derrotismo y la pérdida de entusiasmo? Ahí estaba la cosa. Por eso el mismo texto concluye luego:

El mundo es maravilloso y todo aquello en que palpita la vida debe despertar en nosotros un eco de entusiasmo.[34]

No era un axioma demasiado coherente con la pretensión de graduar la vista femenina para que percibiera la realidad en sus verdaderas proporciones.

El sueño y la ilusión mantenían a la mujer en las nubes durante un período más o menos largo. Y de las nubes de aquel paraíso ficticio se caía sin transición –cuando se caía– en los raíles del noviazgo con un muchacho concreto, al que no convenía dar confianzas pero al que había que querer mucho. Aunque a la jovencita biempensante nadie le hubiera explicado en qué consistía querer mucho a un novio. Ni le estuviera permitido adivinarlo por su cuenta.

VIII. EL TIRA Y AFLOJA

Del hombre, aquel complemento indispensable al que más o menos estaba referido todo y que se daba por supuesto que un día la llevaría vestida de blanco ante el altar, ¿qué sabía la jovencita soltera? Muy poco. Ni de lo que pensaba, ni de lo que hablaba con sus amigos, ni de lo que «le hacía ilusión». Pero siempre abrigaba la esperanza de que aquellas incógnitas quedasen despejadas mediante un trato más estrecho.

Teóricamente el noviazgo, al que algunos llamaban «la escuela del matrimonio», significaba una etapa de aprendizaje. Pero la adolescente intrépida o curiosa, atenta a recoger alguna información de las personas más experimentadas acerca de lo que podía ilustrar a este respecto un amor correspondido, no solía quedarse muy tranquila, sino más bien escamada, al oír hablar a sus hermanas mayores, a su madre o a sus tías. Nadie le decía nada de verdadero fuste sobre la índole de las enseñanzas que aportaba el noviazgo. «Tú lo que necesitas es un novio que te meta en cintura» o «Ya aprenderás, hija, ya aprenderás cuando tengas novio» eran frases agoreras e inquietantes, formuladas en el tono de quien prescribe una medicina, y ensombrecían el estímulo de conocer y probar lo desconocido.

Desde luego, no parecía tratarse de un aprendizaje placentero, sino que más bien era presentado como una ascesis, como una especie de camino de perfección individual.

Siendo el noviazgo medio y no fin, camino y no estación, peregrinación y no descanso, cuantos trabajos se lleven a cabo para hacerlo más llevadero conducirán lógicamente al más pronto arribo a la meta final.

¿En qué consistían esos trabajos? En renunciar a hacer ninguno. Por absurdo que parezca, lo mejor era:

... estudiar a fondo el carácter del futuro marido y no pretender reformarlo en aquello fundamental que no admita reforma aparente.

Para semejante viaje, no habíamos menester alforjas. Era como mandarle a un ingeniero de caminos estudiar a fondo las anfractuosidades de una zona montañosa, con vistas a practicar un túnel, para luego decirle que desistiera porque aquella montaña no admitía reforma aparente.

En el mismo texto, un poco más abajo, se declara abiertamente que la perfección de la novia debe consistir en una mezcla de ceguera y fatal conformidad frente a las vicisitudes de aquella prueba. Se le aconseja:

... indulgencia para las calaveradas que no pasan de ser pequeñas travesuras juveniles. En este aspecto –*concluye*– debéis ser, si queréis aparecer perfectas, «una mica ciegas, una mica sordas y una mica tontas».[1]

La ceguera, la sordera y la tontería prescritas para aquel aprendizaje debían ir acompañadas, eso sí, de una sensación de plenitud y alegría comparable a la experimentada por la novicia que renuncia a las pompas del mundo para entrar en religión.

Ser novia no consiste en la alegría de tener asegurada la butaca del cine, el aperitivo y un galán con bigote a lo Clark Gable, sino en esa otra sensación inexplicable de sentiros novicias alegres que miden los pros y los contras antes de profesar en la comunidad del matrimonio, donde ya no caben torceduras ni rectificaciones.[2]

Ante el fantasma de aquellos pros y contras, cuya medición era indispensable para no equivocarse, el desconcierto se incubaba ya en la etapa anterior al noviazgo como un perenne malestar orgánico. Equivocarse, al parecer, era muy grave. Pero ¿con arreglo a qué paradigmas mínimamente fiables podían establecerse los criterios de la equivocación? Dado que los hombres y las mujeres eran por naturaleza seres diferentes y que tanto el atractivo como el peligro residían en su mutuo desconocimiento, la mera tentación de franquear la sima de tales diferencias ¿no significaría ya en sí misma fatalmente el primer paso hacia el abismo del error?

Si una jovencita, a quien le diera por calentarse la cabeza con estas preguntas sin respuesta, abría la radio para distraerse un poco, muy fácilmente podían estar emitiendo uno de los boleros más populares de Antonio Machín, el titulado «Somos diferentes», cuyas primeras estrofas transcribo:

> Ya me convencí
> de que seguir así
> es imposible;
> qué le voy a hacer
> si al buscar tu amor
> me equivoqué.
> Debes de saber
> que ni tú ni yo
> nos comprendemos.
> Y ese es el error
> que ahora con dolor
> pagamos los dos.

El estribillo con que, a modo de moraleja, se cerraban aquellas lamentaciones zanjaba la cuestión –poco esclarecida por lo demás– declarando que eran diferentes porque Dios lo había querido así. Quedaba la duda de si la voluntad divina se empecinaba en aquel caso particular, o si extendía su maldición a todos los descendientes de Adán y Eva. De todas maneras –era una conclusión de perogrullo–, para que aquellos dos enamorados del bolero hubieran llegado a adquirir el convencimiento de que eran diferentes y no había manera de que se entendiesen, tenían que haber corrido antes el riesgo de intentar conocerse. Un riesgo del que nadie estaba libre.

Incluso para las muchachas que soñaran de buena fe con matricularse en la escuela del noviazgo con idea de hacer progresos fructíferos en el conocimiento del compañero que había de compartir el resto de su vida, estaba claro que primero tenían que dar el paso peliagudo de no ser novios a serlo. Paso que, para complicar más las cosas, requería también un previo conocimiento del individuo en cuestión, porque de un total desconocido se aconsejaba desconfiar por principio.

A lo largo de aquella etapa anterior al noviazgo, plagada de advertencias sobre los pros y los contras de tan arbitrario negocio, el sexo contrario se iba convirtiendo en una referencia tan obsesiva como irreal, en una meta que, más que atraer, imponía. Se fingía avanzar hacia ella practicando enojosos rodeos, pero en el fondo latía la sospecha de que era un paripé. Asignatura sinuosa que no trataba de la materia enunciada en su título, y cuyo estudio resultaba decepcionante. Porque las reglas que la jovencita había de aprender para que un hombre la respetara y deseara pedirle relaciones –aparte de ser embrolladísimas– no le aclaraban la naturaleza de esas relaciones ni le decían nada de los deseos reales del aspirante a ellas, ni de sus carencias afectivas, ni de las trabas que también a él le estaban poniendo sus particulares manipuladores de conciencia para acercarse a la chica desconocida por vías menos convencionales.

El repaso de los consultorios sentimentales (sección fija de la que no prescinde casi ninguna publicación periódica de la época) constituye a este respecto una de las labores más ilustrativas, aunque también más enrevesadas, en el que puede meterse el investigador de la conducta amorosa y sus titubeos.

La primera limitación consiste en que casi nunca se transcriben las cartas recibidas. Bien es verdad que a través de la respuesta, que a veces incluye citas del texto omitido, puede recogerse un dato general sobre el carácter de la pregunta: los circunloquios y eufemismos con que es formulada. Eran preguntas que se aventuraban a tientas, entre la ignorancia y la zozobra.

Una segunda limitación la constituye el hecho de que siempre sea una mujer la que aconseja y consuela, con lo cual se nos escamotea el imprescindible contraste de opiniones para dirimir cualquier juicio. Porque, como veremos en seguida, se trataba de establecer una avenencia entre las razones y motivos de dos bandos rivales. Faltando, como faltaba, un abogado defensor del género masculino, la consejera sentimental se ve obligada a desdoblarse y a no tomar parte por ninguno de los bandos. Aunque, siguiendo en esto el ejemplo de Pilar Primo de Rivera, tiende a minimizar la culpabilidad del hombre, cuando la hubiere, insistiendo en las máximas de la paciencia, la conformidad y la sonrisa con que la presunta víctima de los agravios masculinos debe desarmar a su oponente. Dentro de estas constantes, el alcance y posible eficacia del consejo dependen, como es natural, de las dotes de penetración psicológica y de la calidad humana de la receptora de las cuitas. Por desgracia, suele predominar un tono de vacuo maternalismo dulzarrón, como de reprimenda a un niño chico. En este estilo se lleva la palma una tal María encargada del consultorio de la revista *Medina,* y capaz de dirigir a sus atribuladas corresponsales frases como las siguientes:

> Agradéceselo y no seas tontona.
> No seas nena.
> No le des tanta importancia, chiquillona. Bien está que te tomes ciertas represalias, pero sin exagerar, porque te pondrás amarillita, ojerosa y fea, tonta.[3]

A veces, cuando el dilema que ha dado origen a la consulta requiere una toma de postura, la consejera sentimental duda entre envalentonar o frenar a su penitente, pero la balanza tiende a inclinarse hacia el platillo conformista, especialmente si se trata de una decisión mediante la cual la mujer pretende tomar una iniciativa amorosa de cualquier tipo. Las más peligrosas se consideraban aquellas en que la enamorada, empuñando las riendas de su vida, intentaba hacerle frente a la realidad, harta de vegetar recluida en la agobiante pecera de los ensueños.

Tu amor hacia ese periodista ideal –*se aconseja a una muchacha de León*– debes guardarlo en tu corazón como se guarda un tesoro. Pero renuncia a la idea de trasladarte a Madrid en romántica peregrinación. Sigue soñando allá en tu rincón provinciano con carruajes magníficos, castillos y lugares encantados. Por ahora el periodismo no da para tanto y tu despertar sería demasiado cruel.[4]

En otros casos, cuando el problema no es tan acuciante ni pone a la solventadora del mismo entre la espada y la pared, se atiende a los argumentos de la consulta de una forma menos dogmática y más distendida, dándole la razón unas veces y quitándosela otras. El resultado es un lenguaje estereotipado y evasivo, de medias tintas, de receta de manual, donde la expresión «tira y afloja» asoma con frecuencia como portadora del consejo infalible.

Mala técnica es esa de adjudicarte un nuevo novio sin ser verdad. El dar celos es muy peligroso... Unas veces, si el hombre no está aún lo suficientemente interesado, da marcha atrás al ver el terreno ocupado; otras veces... ve claro el juego y se retira, pues generalmente cuando una mujer demuestra demasiado interés, el hombre lo pierde automáticamente. Hay que saber tener un tira y afloja, sin llegar nunca a esos extremos. Picarle el interés, desconcertarle, gustarle, atraerle; todo esto hecho con monada, con femineidad y tacto.[5]

Ya en la expresión «terreno ocupado» que figura en el texto recién transcrito podemos ver un ejemplo de otra de las peculiaridades más sobresalientes del lenguaje usado por los consultorios sentimentales: la metáfora bélica. El amor se concebía como una batalla, cuya ofensiva correspondía al bando de las tropas masculinas. La táctica del bando agredido era la de desconcertar a quien emprendía aquellos avances mediante el simulacro de un rechazo encaminado oblicuamente a intensificarlos. Una de las consejeras sentimentales que más utiliza semejantes ardides dialécticos no deja por ello de derramar en una ocasión algunas lágrimas de cocodrilo, como justificándose de sus estilos:

En fin –*dice*–, es un síntoma terrible que al hablar de amor haya que emplear siempre palabras bélicas: combate, victoria, estrategia.[6]

Para atraer «con monada, femineidad y tacto» a un hombre, se requería una actitud defensiva. La mujer tenía que «pararle los pies», «darse a valer», «guardar las distancias», «tenerlo a raya», «no darle pie», expresiones todas ellas que, más que propiciar una relación grata y un terreno abonado para el amor, parecían efectivamente formar parte de un código de estrategia militar, donde los contrincantes, parapetados tras sus respectivas fronteras, apenas si se adivinaban el bulto a lo lejos.

Claro que no todas las chicas con ganas de novio estaban por la labor de respetar aquellos sistemas de reina ofendida. Sabiendo, como sabían, que entre la competencia había muchas que no los respetaban tampoco, preferían optar por la alternativa de dar facilidades. Las que se consideraban más modernas, más o menos seguidoras de los usos amorosos de las «topolino», acortaban ostentosamente las distancias, en vez de guardarlas. En un texto se condena no solo como feo, sino también como contraproducente

> ... ese frívolo acercamiento de distancias que suelen preconizar y demostrar las muchachitas estandarizadas de nuestros días... Ellos están tan acostumbrados a que se los rifen y los asalten, que el hecho de tener que ejercitarse en artes estratégicas para conquistar les aguza y afianza el interés. De siempre el hombre ha buscado en el amor satisfacción a sus apetitos de conquista. Esta asignatura se debía imponer ahora en las Escuelas femeninas. Estamos perdiendo mucho terreno, con tanto querer avanzar.[7]

El acortamiento de distancias por parte de una mujer tenía que llevarse a cabo por vías más subrepticias e inadvertidas para el enemigo. Entre todas las tácticas femeninas para hacer frente a un combate tan desigual, la más aconsejada era la del disimulo.

Necesitas cierta habilidad para «picarle» sin demostrar que es táctica de picardía. Finge lo mejor que puedas que solo pretendes su amistad y que no te haría feliz que encauzara sus diálogos por otro camino. Ya sabes que el amor es conquista y ardid. «Llevar la contraria» enardece mucho.[8]

En una época como la que estamos estudiando, donde ya se ha visto que las solteras estaban en mayoría estadística con respecto a los solteros, era lógico que floreciera el tipo de muchacho arrogante acostumbrado a la conquista fácil, cuyo único dilema a la hora de elegir una novia formal era el de dilucidar cuál sería la mejor entre tantas posibles. Estos chicos, paralizados ante la encrucijada de la suprema elección, estaban hartos de oírles a sus madres y a sus directores espirituales que la presa mejor y más valorable sería la que opusiera mayor resistencia a sus afanes de conquista.

Han nacido todos para héroes, y como ganar batallas en el pecho de las adolescentes es mucho más fácil que avanzar atravesando ríos y paralizando tanques, se salen con la suya. «Picará» en seguida. Lo único que no perdonan es nuestra dureza al magnetismo de sus miradas.[9]

El consejo de la indiferencia fingida es uno de los más abundantemente recetados. Especialmente para los males de amor que se incubaban antes del noviazgo. Ahora bien, como todo consejo que pone en juego resortes psicológicos, requería un control en el desdoblamiento a que obligaba. En la práctica, cuando no se tenían dotes teatrales suficientes para desempeñar con descaro e inteligencia aquel papel, daba como resultado un tipo femenino que podía detectarse en seguida por su falsedad. Eran aquellas muchachas que, al exagerar su intento de imitar a las mujeres «difíciles» del cine, no discernían bien las ocasiones en que venía a cuento exhibir esa altivez, y en cuanto se les acercaba un hombre arrugaban la nariz con gesto de desdén, mirando al vacío. Así pensaban estar inflamando unos ardores que muchas veces no existían más que en su imaginación.

El mejor modo de inflamar hornos incandescentes es fingir que no se tiene ningún afán de encenderlos. No le hagas caso y verás cómo cambia tu estrella.[10]

A veces los hombres no sabían cómo interpretar este comportamiento tan retorcido. Se limitaban a decirles a sus amigos, en unos casos con más intriga que en otros: «Pero bueno, tú, ¿qué le habré hecho yo a esa chica para que me trate de una forma tan grosera?» No solían darse cuenta de aquellos trucos, o quizás es que los juzgaban demasiado pueriles.

Os ocupáis demasiado de vosotros mismos –los caballeros– y tenéis poco tiempo para ocuparos de observar a las mujeres. Nosotras nos vengamos con los pequeños resquicios que nos quedan para mostrar cierta indiferencia «incandescente».[11]

Tanto estas antinomias de nieve y fuego como las metáforas de tipo bélico a que venimos haciendo referencia contribuían a propagar una ideología amorosa que exaltaba la dificultad. Lo mismo los hombres que las mujeres tendían a sentirse más satisfechos y recompensados si el objeto de sus afanes era por naturaleza duro de pelar o adoptaba una actitud que le hacía pasar por serlo. Conservar la sangre fría y presentarse como un ser equilibrado y distante se consideraban requisitos ideales para enardecer al adversario, ya fuera este masculino o femenino.

Cuando las batallas tienen interés es cuando el objetivo es difícil y cuando la plaza sitiada no es un «villorrio»; un hombre «con el cerebro bien equilibrado», como tiene tu galán, bien merece los mayores esfuerzos. Palique, pues. Ojos, manos expresivas y sobre todo aparente indiferencia en avanzar hacia el amor. Muéstrate sencilla, atractiva, interesante, ágil de réplica y graciosa de intención, pero sin exceso. Que todo ello parezca una simple expresión de tu carácter y no una escena bien preparada. Cuando te necesite como contrincante de su pensamiento y su voluntad, ya está en el cesto.[12]

Otra cosa que llama la atención en estos baratos psicoanálisis, mediante los cuales se pretendía encauzar la batalla amorosa, es que, aunque un noventa por ciento de ellos tenga como primordial materia de discurso al hombre, a él nunca se le vea ni se le sienta. Aparece más como una abstracción generadora de situaciones conflictivas o como un género a clasificar que como un ser humano, portador él mismo de conflicto. El investigador de la conducta amorosa se encuentra aquí con otra barrera para su curiosidad: la ausencia casi total de testimonios masculinos directos. Yo calculo haber leído alrededor de mil cartas, y entre tantas solo he encontrado seis de contestación a hombres.

En una de ellas, dirigida a un tal Arturo, se exalta su timidez como atributo excepcional.

> La posible timidez que exhibes me parece un máximo atractivo... Los jovencitos no suelen cultivar esa simiente que la naturaleza nos regala al nacer y se atrofia.[13]

De acuerdo con la banalidad general de estos filosofemas, sería absurdo esperar que las líneas transcritas se complementasen con el análisis de las causas que podían contribuir a la atrofia o represión de la timidez varonil. Se remata la faena, en plan chapuza, asegurándole a Arturo que su sensibilidad le acercará a las almas delicadas. Pero se percibe la falta de convicción con que se dan estos ánimos, a modo de palmadita piadosa en la espalda de un enfermo. De sobra sabían los muchachos de natural tímido que aquella simiente «que la naturaleza regala al nacer», causante de rubores, tartamudeos, ojos huidizos y manos sudorosas, no pertenecía precisamente a la especie de las que a un hombre convenía cultivar. Si de un don innato se había convertido en un padecimiento vergonzante que pocos se atrevían a exhibir, la culpa la tenían en gran parte los colegas masculinos de esta hipócrita aplicadora de emplastos. Me refiero a los propagandistas a ultranza del heroísmo varonil. Eran los padres literarios de estereotipos como el ya citado de *El guerrero del antifaz,* cuyos atractivos (a los que tampoco aquella consejera era indiferente en otras ocasiones) no residían precisamente en la timidez sino en el arrojo.

Y bajo el antifaz del arrojo, malamente sujeto al rostro, se esforzaban los jóvenes por dominar su timidez, nunca por cultivarla.

Era muy frecuente que la timidez incorregible estuviera condicionada por problemas de salud. Los predicadores de la fortaleza y el valor frente a la debilidad, tanto física como moral, parecían pasar por alto un detalle importantísimo: en la España de la postguerra había un porcentaje bastante alto de jóvenes enfermos. Algunas de estas enfermedades, que podían ser o no secuelas de la guerra, afectaban a los órganos sexuales y eran las que producían en el paciente mayor complejo de inferioridad. Sobre todo porque no cabía la posibilidad de invocarlas ante la enamorada como justificación del propio retraimiento. Las alusiones a este tipo de males eran siempre veladas.

> No te explicas claramente. Si el muchacho dejó de escribirte por estar *enfermo,* no tienes motivo para alimentar ese rencor absurdo. Si se trata de una enfermedad «vigente» y que le impide pensar en matrimonio, debes exagerar tu delicadeza para no alimentar sus sueños en ese sentido, pero evitándole también todo complejo de inferioridad por creerse un hombre «inservible».[14]

Pero la enfermedad más extendida en la España del racionamiento fue la tuberculosis, que se cebaba de preferencia en los adolescentes de constitución poco vigorosa, cuando llegaban a la llamada «edad difícil». El mayor número de víctimas mortales se las cobró en barrios donde reinaba la miseria,[15] es decir, donde las familias no contaban con los medios más elementales ni para prevenir el contagio, ni para alimentar a los enfermos en condiciones, ni mucho menos para permitirse el lujo de que dejaran de trabajar por unos meses y se dedicaran a hacer reposo en una chaise-longue en la Sierra. Era, en una palabra, una enfermedad de pobres, pero que solo conseguían curársela los ricos. Tal vez por eso, aunque menos vergonzante que las venéreas, también se aludía a ella con eufemismos. Llamar «tísico» a alguien era casi un insulto, era como llamarle «desgraciado» o «muerto de hambre». Resultaba menos crudo decir que «estaba del pecho».

Como era una enfermedad muy contagiosa y pesada de curar, a los que estaban del pecho se trataba de aislarlos, como primera medida, de las personas de su edad. Rara era la familia donde no hubiera algún caso de conocidos o parientes que viajaban periódicamente a un sanatorio antituberculoso. Lo hacían para llevarle embutido y algunos libros a un joven pálido y triste, que muchas veces aprovechaba aquella etapa de reposo forzado para escribir poemas dedicados a una novia imposible. Las sospechas de tuberculosis suponían un grave impedimento para el amor.

> Cabe una explicación incluso heroica: la de que ese muchacho, probablemente tuberculoso, no quiera formalizar unas relaciones amorosas inconvenientes para su salud, y sobre todo para la mujer que le entregue su cariño a un enfermo.[16]

Otras veces, los complejos de inferioridad frente al amor coincidían simplemente con un físico poco agraciado. La cruz de una apariencia desmedrada o enfermiza podía ser llevada de dos maneras. O con la cabeza baja y el gesto torcido, o intentando disimular su peso mediante una verborrea incontrolada, plagada de chistes y risas extemporáneas, que convertían al tímido extrovertido en el tipo más abominado por las mujeres. También en ellas la timidez podía responder a complejos de inferioridad basados en el aspecto físico. Pero, a no ser que se tratase de auténticos esperpentos, se sentían confortadas por una esperanza que no dejaba de tener cierto fundamento. La actitud de bajar los ojos y ruborizarse era interpretada por muchos como una garantía de honestidad. Aunque no faltaban, naturalmente, los que se enorgullecían de llevar al lado a «una mujer de bandera», el polo opuesto de este tipo, el de «la chiquita insignificante» tenía la ventaja para su novio de que no iba a atraer automáticamente las miradas lascivas.

La timidez masculina del muchacho enclenque aparejaba, en cambio, una connotación de cobardía muy poco prestigiosa. La prueba es que de un ejemplar de estas características se decía que «no tenía media bofetada». A la chica española le gustaba mucho que sus amigas le envidiaran el novio, sobre todo si había sido «difícil de pescar». Los que no tenían media bofetada solamente podían paliar tan ingrata condición con una cuenta corriente bien nutrida o con una carrera de ingeniero de caminos o de abogado del Estado, por citar dos de las que más fascinaban a las madres casamenteras.

Pero el ideal de las jovencitas, cuando en un arranque de sinceridad hablaban con sus amigas de aquellos temas, se expresaba en la siguiente frase, que escuché en mi juventud muchas veces: «Hija, a mí Dios me dé un hombre que sea capaz de llevarme las maletas.» Quién sabe si este cliché no arrancaría, como tantos, de alguna escena de película rodada en bulliciosa y cosmopolita estación de ferrocarril, donde se viera a la protagonista corriendo sofocada, sin más bagaje que su bolso, detrás del hombre alto que, a pesar de llevar una pesada maleta en cada mano, la precedía ágilmente a varios metros de distancia sin perder la serenidad ante los altavoces que anunciaban la inminente salida del tren.

Una escritora de la época resumió así los atributos del hombre ideal:

> Ha de tener fuerza física, éxito, voluntad. Y ha de saber hablar. Nunca se dará totalmente por vencido. Nunca será un amilanado. Tendrá seguridad en sí mismo.[17]

Sin embargo, a algunas muchachas los tímidos incorregibles les daban una pena especial, avivaban sus instintos maternales y, cuando lograban rescatarlos de su encogimiento –a base siempre de la táctica del «tira y afloja» – y arrancarles una mirada menos huidiza, este éxito podía llegar a provocar en ellas una gratificación personal tan intensa que fácilmente se prestaba a ser confundida con el amor. Pero este tipo de amor, más o menos basado en la compasión, al que lo detectaba siempre le humillaba un poco, aunque lo agradeciera. La respuesta podía ser la fidelidad perruna o el agravamiento de los complejos del tímido. Pero en cualquiera de los casos, él seguía sabiendo mejor que nadie que la gran pasión soñada por la asidua lectora de novelas jamás sería capaz de despertarla.

En un excelente monólogo contemporáneo, una mujer ya madura, víctima del espejismo que en su juventud la llevó a creerse enamorada del muchacho enclenque y acobardado que acabó casándose con ella, evoca amargamente al cabo de los años los brotes escuálidos de aquella relación, que entabló desoyendo los consejos de las amigas y que actualmente deplora:

> ... a ver, que Transi, loca, «no me irás a decir que te gusta ese sietemesino», que yo no diría tanto, pero físicamente, cariño, tenías bien poquito que gustar, francamente, y yo como una romántica, que no soy más que una romántica y una tonta, «ese chico me necesita», ya ves, a esa edad, me emocionaba sentirme imprescindible, gajes, que mamá con ese ojo clínico, que no he visto cosa igual, «nena, no confundas el amor con la compasión»... El caso es que me dabas una pena horrible, yo no sé, porque aquel traje marrón me horrorizaba, te lo confieso, y los tacones de los zapatos como roídos, así, tan triste, pero nunca se sabe, y de repente un día noté que empezabas a hacerme tilín.[18]

De todo este texto, donde se hace un boceto del hombre amilanado víctima de la postguerra, me interesa destacar un detalle: el de que la narradora, aunque haya sido capaz de arrancarse la venda de los ojos, no lo sea de renunciar al atributo de su propio carácter que más la enorgullece y justifica: el de mujer romántica.

El calificativo de romántica, por mucho que intentaran descargarlo de su magnificencia las sensatas llamadas a la realidad de los consultorios sentimentales, nunca llegó a convertirse en un estigma para la mujer. Invocaba los motivos de índole más diversa para adjudicárselo, y lo esgrimía como una noble bandera que embellecía y dignificaba los argumentos más anodinos. Entre los pseudónimos empleados por las muchachitas que escribían a las revistas femeninas en busca de orientación sentimental, destacan los compuestos por el citado adjetivo. «Dama romántica», «una romántica», «provinciana romántica» o «flor romántica» son algunos ejemplos de una lista que podría engrosarse mucho más.

Digamos, de paso, que ya el mero hecho de ocultar el propio nombre tras un pseudónimo tenía algo de romántico, y convertía la decisión de escribirle una carta a una persona cuyo rostro nunca se iba a conocer, en una aventura clandestina, casi tan excitante como la de ponerse un disfraz de carnaval. La complicidad que se establecía mediante aquella correspondencia fomentaba el gusto por lo secreto, y es natural que fuera más apetecida por las mujeres, ya que proporcionaba desagüe a sus ansias de confidencia –no siempre satisfechas– de que hablamos en el capítulo anterior. Las periodistas anónimas encargadas de aquella sección fija eran conscientes, sin duda, de que sus consejos, aunque fueran de repertorio, iban a ser recibidos como agua de mayo por cada una de aquellas desorientadas y borrosas muchachas a quienes se llamaba «querida amiga», y que lo que necesitaban sobre todas las cosas era que alguien les hiciera caso.

A la jovencita de postguerra le encantaba escribir cartas, y ponía mucho amor propio en hacerlo lo mejor posible. Se envidiaba a las amigas de quienes era fama que dominaban con facilidad el género, porque significaba un privilegio para lides amorosas. Casi tan importante como el de unos ojos de mirada expresiva. «Hija, claro, es que tú como escribes esas cartas tan bonitas...», se solía decir a la amiga que era capaz, sin esfuerzo, de mantener una correspondencia interesante con persona del sexo contrario, uno de los posibles prolegómenos del amor.

La opinión general era la de que los hombres ponían mucha menos gracia e imaginación en el cultivo de ese género literario, más adecuado como vehículo de expresión femenina.

> La mujer es ante todo intimidad y vida privada; ... su papel es más bien silencioso, de pura presencia. Si opera lentamente, como un clima, si representa la serenidad callada frente a la ruidosa acción del hombre, es evidente que donde se encontrará a sus anchas, donde dará sus mejores frutos si acaso trata de comunicar sus pensamientos, será en las cartas, documentos íntimos, privados y confidenciales por excelencia.[19]

Ya vimos, al hablar de las madrinas de guerra, que la correspondencia con una persona del sexo contrario, aunque fuera en términos simplemente amistosos, daba pie a la efusión sentimental, y que para la mayoría de aquellas mujeres recibir una contestación del ahijado significaba un alimento tan apetecido por «su ilusión» que podían acabar enamorándose de él sin haberlo visto nunca. Conscientes de este peligro, algunas madres fiscalizadoras se mostraban poco amigas de que sus hijas mantuvieran relaciones epistolares continuadas con un chico que no se definía ni como novio ni como pretendiente.

> Lo peligroso de esa correspondencia –*amonesta una consejera sentimental*– es que puedes terminar enamorándote de él, que es lo que probablemente verá tu madre, y por eso no querrá que sigas manteniéndola... Si este asunto lleva ya en marcha cierto tiempo, creo que no te conduce a nada mantenerlo y debes cortarlo.[20]

Tampoco en este terreno epistolar estaba bien visto que fuera la chica quien hiciera avances o tomara la iniciativa:

> Si él tiene mucho interés en recibir tus cartas, que te escriba primero, como lo ha hecho anteriormente; pero mientras tanto, no seas tú la que dé el primer paso.[21]

El primer paso tenía que darlo siempre él, ya lo hemos dicho. A ella le correspondía la delicada misión de incitarle a que lo diera, pero sin que se notara.

> Procura, sin que «se te vea la antena», dejarle caer la sugerencia de que te escriba. Pretextos no han de faltarle. Si él vive en un pueblo, interésate por su agricultura, sus conejos o la marcha de las inundaciones.[22]

No sabemos si esta muchacha se avendría o no a pasar por el enojoso trámite de fingir interés por el roedor con la esperanza de que aquel asunto sirviera de prólogo a otros más excitantes y en los que ella misma se viera implicada. La misión de la mujer, basada en su condición satelitaria, llevaba aparejado un riguroso entrenamiento en su papel de comparsa, que debía llevarse a cabo desde la primera edad. Y también en este aprendizaje se aconsejaba el fingimiento. Los consultorios sentimentales insistían mucho en los buenos resultados que daba, más que interesarse realmente por los temas de conversación varoniles, aprender a poner cara de interés.

> No le preocupe pasar por sosa o poco entretenida por estar callada. Si sabe escuchar con atención y dar en todo momento sensación de que se halla interesada por lo que le cuentan, adquirirá fama de inteligente y comprensiva.[23]

Pero las jovencitas, atiborradas de tanta prédica sobre su propia insignificancia, estaban hartas de fingir comprensión y anhelaban sentirse comprendidas. Por eso escribían tanto a los consultorios sentimentales, cuando no tenían otro destinatario más tangible de quien echar mano.

No siempre el motivo de la carta femenina coincide con la exposición de un problema concreto. Se trataba en muchos casos de un cauce para dar coba a aquellas inconcretas ansias de protagonismo que el cine y las novelas inyectaban. Aquellas palpitaciones que se sentían con la llegada de la primavera, ¿significarían un anuncio de que se estaba incubando el gran amor? Hablar por carta de los propios sentimientos era como una especie de ensayo general para tenerlos, como una expresión en borrador de la novela que se soñaba con vivir. Y la prueba está en la frecuencia con que aquellas adolescentes desconcertadas trataban de bucear en lo más desconocido y enigmático: en la esencia misma del amor. Tenían una noción vaga de él pero necesitaban definirlo, era una urgencia que las traía en jaque. Pasar de la noción a la definición. Generalmente la respuesta a este tipo de preguntas, además de ser absolutamente pedestre, contribuía a aumentar la perplejidad.

> ¿Qué es el amor?, preguntas... Un día no querrás saber lo que es el amor –vocablo abstracto–. Pretenderás conocer la radiografía sentimental y cordial de Pepe, de Ramón y de Juanito. Te inquietarán los celos..., te extasiarás ante los niños con rizos rubios

y los escaparates con muñecas. Leerás tratados de decoración y empezarás a guisar. Todas estas manifestaciones prosaicas de tu afán por hacer grato un hogar puede que sean indicios favorables y demostrativos de tu buen camino amoroso.[24]

Pero, a pesar de jarros de agua fría como este, era difícil que una jovencita lectora de Bécquer o de Rubén Darío admitiese la identificación de sus ansias inconcretas con la afición a los guisos y a la decoración de interiores. Y se insistía en una pesquisa orientada hacia la localización, por sus síntomas, de una enfermedad que se estaba deseando padecer.

Quieres saber nada más «cómo se da cuenta una mujer de que está enamorada»... Pero llegará un día en que no sentirás ningún deseo de preguntar qué es el amor ni cuáles son sus síntomas. De un golpe habrás descubierto las lágrimas, la risa, los nervios, los celos. Ya verás qué maravilla tan incómoda y tan buena.[25]

Se avanzaba, pues, hacia aquel incómodo país de las maravillas con exaltación y zozobra, como quien está sobre aviso de que camina hacia un terreno pantanoso, donde solamente va a poder permanecer a base de ejercitar con tino las complicadas artes del tira y afloja. Y lo peor era que tampoco el dominio de tales equilibrios garantizaba la consecución de una dicha duradera y firme.

El amor matrimonial no es el amor juvenil del noviazgo... En el tira y afloja del noviazgo no podría jamás basarse una dicha duradera y firme.
Sería tanto como pretender aprisionar el misterio, el peligro, la impaciencia, todo eso, en fin, que constituye la propia esencia de la espera.[26]

O sea que el noviazgo era como un sarampión del que convenía curarse cuanto antes. Lo malo es que en algunos casos se eternizaba, como veremos en el capítulo siguiente, y daba al traste con todas las defensas del organismo mejor dotado para resistir en el tira y afloja.

IX. CADA COSA A SU TIEMPO

El desconocimiento real entre los sexos contrastaba con las ceremonias prescritas para que tuviera lugar el «conocimiento» formal entre un hombre y una mujer.

La primera era la de la «presentación». Dentro de una determinada clase social, un chico no se acercaba a una muchacha en el paseo ni la sacaba a bailar sin que se la hubieran presentado previamente. Para pasar «airosamente» este trámite, a las chicas tímidas o que habían tratado con poca gente, se les recomendaba naturalidad y aplomo.

> No hay ninguna fórmula fija para decir cuando te presenten a una persona, sea esta hombre o mujer; así que puedes decir lo que te salga de dentro en ese momento : «Encantada», «¿qué tal?», o cualquier cosa por el estilo, y al despedirte, lo mismo: «Ya nos veremos», «hasta la vista», «encantada», «adiós», etcétera, etcétera, pues nadie se fija en palabra de más o de menos.[1]

Acerca de la fórmula «encantada», conviene decir que, a pesar de ser la más extendida, el uso habitual que se hacía de ella no siempre consiguió desgastar su carga semántica. Precursora en algunos casos del futuro y anhelado «te quiero», la expresión del rostro femenino que la pronunciaba delataba para un observador atento cuándo se trataba de la enunciación convencional de una cortesía y cuándo traducía fielmente el arrobado encanto de quien, al pronunciarla mientras estrechaba una mano masculina, sentía estar trasponiendo un umbral plagado de promesas.

Había un primer dato de selección correspondiente al aspecto puramente físico de aquel contacto. Entre las muchachas de mi generación se atribuía mucha importancia a la forma que un hombre tenía de dar la mano. No gustaba mucho el apretón rudo y seco que dejaba la nuestra como aprisionada entre hierros, pero menos todavía la viscosidad y falta de arrestos que entrañaba el extremo opuesto. Decir de un chico que «daba la mano floja» era el peor presagio. El término medio ideal, aunque nadie lo hubiera definido con exactitud, se percibía inmediatamente, suscitando una aprobación instantánea. «¡Qué bien da la mano!», se decía. El que daba bien la mano, aunque se la diera igual a todas las mujeres, lograba trasmitir, a veces con la alianza de la mirada, la sospecha de que aquel contacto era especial e irrepetible.

Al momento de la presentación podía haber precedido otra etapa de duración variable, a lo largo de la cual la posible pareja ya había entablado otro anticipo de contacto mediante un código de señales más inaprensible pero menos convencional que ninguno: el intercambio de miradas. Aquí la muchacha, aunque siempre de forma sutil y por supuesto «muy femenina», podía tener la audacia de estimular la iniciativa varonil:

> Conviene siempre dejarles la iniciativa y la decisión. Solo los ojos y las sonrisas pueden ayudar a la mujer, pero con una gracia y habilidad muy sutiles, pues que, en su perfecto derecho y con toda razón, los hombres no gustan de ejercitarse en tácticas defensivas y están, por los siglos de los siglos, acostumbrados a iniciar el ataque... Me parece más sencillo que intentes, discreta y femenina, hacerle tropezar con tus ojos.[2]

El presagio de comunicación que se fraguaba en la etapa de las miradas permitía un mayor margen de inventiva y libertad, precisamente por inscribirse en el campo de lo intangible, de la ilusión. Pero tampoco podía disfrutarse mucho tiempo a solas de aquella ilusión, ni mantenerla secreta, porque todo el mundo en torno andaba ojo avizor. «Ese chico alto te mira mucho», solían advertir en seguida las amigas. Tanto si la interesada decía que sí, que ya se había fijado, como si su modestia –verdadera o falsa– la llevaba a ponerlo en duda argumentando que tal vez aquellas miradas iban dirigidas a otra chica de las del grupo, la amenaza de las interferencias ajenas se empezaba a configurar como una nube negra sobre aquella ilusión alimentada a solas. La carga eléctrica de un amor en ciernes y sin desagüe demasiado preciso soliviantaba al grupo entero, ansioso de intervenir en aquella historia. Y en seguida surgía la decisión conjunta, compartida: «Pues oye, a ver si logramos que nos lo presenten.»

El retraimiento de la chica «rara», poco inclinada a comentar con las amigas sus estados de ánimo, se interpretaba como una falta de solidaridad, como un síntoma de antipatía que casi resultaba insultante. Pero no se dejaba en paz a la chica rara de buenas a primeras, se peleaba, como ya vimos en otro lugar, por redimirla de su condición «anormal» y hacerla obedecer las normas de la grey. Aún hoy perduran en mujeres que lindan con la tercera edad las secuelas perniciosas de aquellas instancias de cohesión incondicional con las amigas, que coartaba cualquier iniciativa independiente y espontánea, ya fuera escribir una carta sin enseñársela a nadie, entrar a solas en un local público o incluso levantarse para obedecer a una necesidad fisiológica urgente sin preguntarle por lo bajo a la compañera de mesa: «Oye, ¿me acompañas al tocador?» Hasta dentro de la propia casa despertaba recelos el aislamiento de una chica, y ni siquiera invocando una razón tan noble como la de su afición a los libros, conseguía prestigiar su tendencia a la soledad.

Ahí estás. Encerrada en casa toda la tarde con la «alegre» compañía de esos letárgicos libracos, mientras tus pobres amiguitas se desesperan viendo que no acudes al guateque prometido. ¡No las mires con esa cara de horror! Están hablando de modas y de la belleza de Peter Lawford. ¿Por qué no? ¿No las encuentras femeninas?[3]

Lo más femenino de todo era hacerles confidencias a las amigas y detallarles con pelos y señales los indicios de un amor reciente. Pero al intentar propagar una experiencia íntima y aún en gestación, no solamente se banalizaba su encanto sino que además se estaban regalando datos sobre determinada personalidad masculina, que podían volverse excitantes y propicios a la manipulación ajena. Era muy frecuente, de hecho, el que algunas amigas más «lanzadas» que su confidente inexperta, se encapricharan del desconocido recién descubierto por esta, e hicieran lo posible para «pisárselo»:

> Las amigas son un peligro horroroso. Esa señorita que estorba tu amor es un monstruo muy vulgar. Supongo que si el estudiante que amas tiene sentido común, pronto comprenderá su error y caerá rendido a tus encantos. No emplees las mismas armas que ella ha empleado... Aguza tu inteligencia y tu habilidad...; pero, por favor, siempre muy discreta, muy seria, muy femenina.[4]

La muchacha discreta, seria y femenina acababa comprendiendo que solamente podía confiar en la Divina Providencia. Y esperar.

> No puedes hacer sino esperar a que ese muchacho que estudia, te mira y calla se decida a cambiar de actitud. Puedes insinuar, muy femenina y tímida, gestos de aproximación cordial, pero sin ninguna tendencia a «la americanada».[5]

Prohibidos una vez más los modelos de conducta espontánea propuestos por el cine americano, que era el que más se veía, aquellos «gestos de aproximación cordial», ensayados a veces de noche ante el espejo del cuarto de baño, adolecían de torpeza y desmañada afectación. La chica tímida nunca estaba segura de haberlos dosificado adecuadamente en la práctica, y el único paliativo para un solivianto como aquel, comparable al padecido antes de recibir las notas de un examen, estaba en la aprobación derivada de la conducta de él; es decir en comprobar si se decidía o no a salvar aquella distancia a través de la cual se habían encontrado los ojos. Ella, aunque se sintiera progresivamente atraída por el desconocido que la miraba, no solía poner nada de su parte para que se lo presentaran, a no ser que existieran una serie de circunstancias favorables, es decir, que no fuera tan desconocido, sino por ejemplo pariente de alguna de sus amigas. La indagación por medio de las amigas, que por muy discreta que pretendiera ser desembocaba casi siempre en chismorreo, se dirigía en general a recabar ciertas garantías sobre el carácter del muchacho en cuestión y sobre su porvenir:

> Que esta averigüe con discreción –o si no tú misma puedes hacerlo con Pilar– qué clase de gustos y aspiraciones tiene su hermano y cómo piensa enfocar su porvenir. Indaga también, pues esto es muy importante, si ese chico tiene idea de casarse, pues por lo que me cuentas también podría ser un solterón recalcitrante que deteste a las mujeres, en cuyo caso no cabe más que... volver la hoja del libro.[6]

La etapa de las miradas se desarrollaba generalmente al aire libre, durante las horas del paseo. En todas las ciudades españolas existía una calle principal o una plaza mayor donde a horas fijas tenía lugar la ceremonia, hoy en desuso, del paseo. De una a dos y de nueve a diez, a no ser que estuviera nevando, las amigas se arreglaban para salir a dar una vuelta y recalaban indefectiblemente en aquel lugar de reunión, como si se metieran en el pasillo o en el cuarto de estar de una casa conocida, donde las puertas no daban al dormitorio o al comedor sino a otro tipo de locales más animados: tiendas, cafés y cines. Y se deslizaban pacífica y rutinariamente, cogidas del brazo, observando con más o menos descaro el comportamiento de los muchachos conocidos y desconocidos y hablando de ellos por lo bajo. Este encuentro puntual, que acababa volviendo familiares todas las fisonomías, se atenía a un ritual muy curioso. Por ejemplo, en la Plaza Mayor de Salamanca, las chicas paseaban en el sentido de las manecillas del reloj, mientras que los hombres lo hacían en el sentido contrario. Como quiera que el ritmo del paso fuera más o menos el mismo en ellos y en ellas, generalmente lento, ya se sabía que por cada vuelta completa a la plaza se iba a tener ocasión de ver dos veces a la persona con quien interesaba intercambiar la mirada, y hasta se podía calcular con cierta exactitud en qué punto se produciría el fugaz encuentro. «Me toca por el Ayuntamiento –se iban diciendo para sí el paseante o la paseante ilusionados– y luego por el café Novelty.» Con lo cual daba tiempo a preparar la mirada o la sonrisa de adiós, cuando se trataba ya de un conocido. Los chicos que se acercaban a un grupo de amigas para «acompañar» a alguna de ellas, lo hacían cambiando de dirección e incorporándose al sentido de las manecillas del reloj, nunca sacándolas a ellas de su rumbo para meterlas en el contrario. Por eso, si un muchacho por el que estábamos interesadas no aparecía en el lugar calculado, podía ser porque se hubiera ido ya, porque se hubiera metido en un café, o porque en aquel trecho hubiera decidido cambiar de sentido para acompañar a otra chica más afortunada.

Esta primera fase de las miradas se veía amenizada por los informes que, deliberada o casualmente, se iban recogiendo sobre el desconocido, casi siempre en círculos ajenos al hogar, porque la fiscalización de las familias no tenía entrada en esta etapa del amor, aún tan inconsistente y etérea. «Estudia Medicina», «es de Bilbao», «vive en una pensión por el barrio de la Universidad» o «su padre tiene una ganadería de reses bravas» eran, con todo, noticias mucho menos emocionantes que las que se seguían recogiendo directamente del cruce de miradas. De un día para otro, aquel fluido tan frágil y tan intenso podía cortarse sin más explicaciones, y entonces sobrevenía el apagón de luz. Unas veces era ella la que volvía la cabeza hacia otro lado, al encontrárselo en la calle, otras veces era él. Pero casi siempre por la misma razón, porque aquel lugar a su lado ya no estaba vacío; lo ocupaba otra persona que era la receptora actual de sus miradas. «Claro –decían las amigas–. Te lo han pisado. Si es que hay que darles un poco de pie.»

«Dar pie» era una de las expresiones de mayor circulación y el alcance de sus límites era muy indefinible. Había que dar pie, pero ni tanto para que la chica que lo diera fuera tenida por una «fresca» ni tan poco que su intención pasara desapercibida. Logrando la proporción adecuada se animaba, al parecer, al desconocido a que abandonase su condición de tal y pasara a la de conocido, decidiéndose a buscar a alguien que hiciera la presentación. Ilusionarse por alguien cuya mano no se había estrechado todavía era andarse por las ramas.

¿De modo que intuyes que un caballerete a quien ni siquiera has sido presentada puede saciar tu sed espiritual para toda la vida? Por lo visto ignoras que el amor requiere, con vistas a la prolongación de la especie y a la felicidad de los seres, ciertas condiciones de asiduidad, frecuentación, convivencia, etcétera.[7]

Por parte del caballerete, ceder a las instancias de aquellos ojos que se cruzaban al azar con los suyos y empezar a hacer gestiones para el acercamiento era ya dar un paso que, aun cuando no le comprometiera a nada, le «significaba» un poco ante los demás. El verbo «significarse», de claras connotaciones políticas, se usaba mucho en la postguerra española y entrañaba una toma de partido, así como el derecho, por parte de la sociedad, a investigar en determinada conducta. «¿Cómo va a estar ese empleado en Abastos? ¿No se había significado con los rojos?», se podía oír, por ejemplo. De la misma manera, el deseo explícito de conocer a determinada muchacha le daba ocasión al amigo requerido como presentador para hurgar en el asunto y preguntar al aspirante por el calibre de aquellos sentimientos, que ya, quisiera o no, «le significaban». El interrogado solía escurrir el bulto, intentando descargar de «significación» aquel primer avance intrascendente. «Es que es muy mona, me mira bastante, y, no sé, me gusta.» «Pero ¿te gusta mucho o poco?» Es decir, empezaban a darse pasos hacia la norma, hacia la clasificación. Y en seguida venían las advertencias y los informes, que no se referían tanto al carácter de la chica o a sus aficiones como a su extracción social y, sobre todo, a su disponibilidad para un posible noviazgo.

«Esa chica tiene ya novio» era una frase que invalidaba automáticamente el deseo de ser presentado a ella. Y también podía ser un freno, aunque menor, enterarse de que «la acompañaba» otro. Había, por último, una información de efecto ambivalente en quien la recibía: la de que la muchacha en cuestión fuera «una fresca» y les diera pie a todos o «se timara» con todos, como también se decía en la época para expresar el coqueteo. Saber eso podía animar o decepcionar, según las intenciones que se hubieran abrigado con respecto a ella durante la etapa de las miradas. Había que dejar bien delimitados los campos, saber a qué atenerse, porque no todas las chicas se merecían el mismo trato.

> Conozco esa clase de muchachas que a sí mismas se califican de «modernas» y creen que tal calificación les da derecho a hacer un despliegue de desvergüenza sorprendente, aunque pretendiendo ser tratadas como las más honestas y tener la más completa consideración de la sociedad.[8]

El modelo de mujer hacendosa y recatada que las madres proponían a sus hijos para que se ajustara a él la futura compañera de su vida contribuía a apagar la sed de aventura que late en toda búsqueda o elección personal. La aventura había que buscarla por otros pagos más prometedores. «Esa chica no es para casarse –se solía decir–. No ha sido para él más que una aventura.» A muchos hombres, probablemente, les hubiera gustado que no estuvieran tan marcados los límites entre el campo de la aventura y el del noviazgo. Pero eran pocos los que se rebelaban contra esa dicotomía. Así que iban relegando a un territorio proscrito su sed de aventura, prostituyéndola en lugar de aplacarla. Y el placer que pudieran extraer de sus «aventuras» lo abarataban al hacer trofeo de él ante los demás, pagando así con vil ingratitud la generosidad de quien les pudiera haber concedido sus favores con menos tacañería de la habitual. Se hablaban unos a otros de sus aventuras, porque una vez que se tenía novia, de la novia ya no estaba bien visto contar nada. Se daba por supuesto que aquella que se había elegido para esposa decente no constituía material de narración.

Una vez traspasado el umbral de la presentación, el hombre seguía llevando la batuta de las relaciones a seguir. Podía intensificarlas o replegarse, es decir, descargar de todo sentido amoroso la relación iniciada y convertirse en un chico conocido al que se dice adiós por la calle. Por cierto, que hasta para una cosa tan simple, algunas jóvenes indecisas necesitaban pedir orientación, tanto se las había atosigado con el respeto a las normas.

> Si se conoce a un chico muy poco y no se le trata con confianza, al verle en la calle ¿qué debe hacer una chica? ¿Saludarle antes o esperar a que él diga adiós para contestar?[9]

En esta etapa de los saludos casuales, se mantenía la ambigüedad con respecto a las intenciones del chico. Pero las ilusiones de ella podían desbocarse, incluso con tan pobre agarradero. La sensatez aconsejaba aplacarlas y esperar a verlas confirmadas con el trato.

> No sé si estará enamorado de ti, aunque no lo creo, puesto que no os habéis tratado ni siquiera salido juntos. Posiblemente le gustarás, y ese sentimiento puede crecer, convirtiéndose en simpatía y atracción mutuos, en ese amor volcánico que tú crees ahora sentir. El amor, hija mía, es algo más profundo y de más base que esa ilusión que tú sientes ahora porque ese muchacho te ha saludado unas cuantas veces en la calle y te han dicho que está por ti.[10]

No estaba tan claro como reza este texto, empeñado en establecer jalones indiscutibles en el camino del amor, que los sentimientos de tipo volcánico se encendieran y acrecentaran siempre con el trato, sino que muchas veces podía suceder, y de hecho sucedía, justamente al revés. Porque, ¿qué era el amor en aquellos tiempos más que imaginación?

> Esos enamoramientos volcánicos cuya lava se vierte sobre un desconocido no tienen ni más base ni más peligro que la imaginación.[11]

Era precisamente la época anterior al trato la que más encandilaba la imaginación femenina. Por eso se consideraba peligrosa.

Veamos el proceso que seguían las relaciones en el caso contrario, es decir, cuando el hombre decidía intensificarlas.

Primero se convertía en acompañante, título más o menos institucionalizado, pero presidido todavía por el azar. Se decía: «Fulanita no tiene novio, pero la acompaña un chico.» Acompañantes, por supuesto, se podía tener más de uno, entre los cuales se iba configurando el preferido. Algunas muchachas, de carácter alegre y sencillo, menos obsesionadas por el casorio que otras, podían sacarle gusto a esta situación por sí misma y vivirla como mera amistad. Pero estaba desprestigiada una amistad entre hombre y mujer que no pretendiera desembocar en otra cosa.

> Hay varias maneras de enamorarse. Una es el flechazo. Otra que le gustes a un chico por lo que sea y que poco a poco se vaya interesando más y más. Y por último, empezar siendo amigos, acostumbrarse a esa amistad y darse cuenta al cabo de un tiempo de que eso de la amistad era un mito... Ten cuidado de no exagerar la nota y ponerte tan amiga, tan amiga, que ya no vea en ti a la mujer.[12]

Y sin embargo, dejarse «ver como mujer» no quería decir escotarse un poco más o cruzar las piernas sin ponerse el parapeto del bolso delante, como era lo habitual. Se trataba más bien de una estrategia hecha de dulzura y comprensión. Era la que, según decían, daba resultados. Incitando al hombre a que hablara de sí mismo y siguiendo sus palabras con mirada y gesto atentos, se le ofrecían garantías de las posibles capacidades como novia y esposa.

> Cuando te presenten a un chico, no te imagines inmediatamente que te lo va a «pisar» la primera que llegue. ¡Es tan fácil retenerlos! Hazle hablar de sí mismo, de sus gustos, de sus aficiones... Ya verás cómo, si eso lo haces con discreción, te da magníficos resultados.[13]

Pero, aparte de lo discutibles que pudieran ser tales resultados, no siempre el azar deparaba, durante la etapa del «acompañamiento», las circunstancias propicias para que se creara ese clima. Para que una muchacha, olvidándose de las amigas y del mundo en torno, pudiera dedicarse a recoger arrobada informes sobre los gustos y aficiones del muchacho en cuestión, este tenía que haberse significado más, dejar entender que quería verla a solas, invitarla a salir a ella sola. Y esa era una etapa posterior. Algunas chicas, demasiado vinculadas a su grupo femenino, tardaban en dar pie a esa intimidad. Y ciertas consejeras sentimentales se veían obligadas a darles un empujoncito para animarlas a salir de aquel cotarro, a cortar el cordón umbilical con las amigas.

> Probablemente ese muchacho que tenía tanto interés en salir contigo no se sintió igualmente dichoso en la reunión de tus amigas, y de ahí data el origen de su frialdad. El amor es un poema enteramente personal. No sé si tu caballero estaba a punto de enamorarse o andaba todavía por las ramas; pero todos los indicios me llevan a pensar que si hubieras limitado la tarde a charlar en un banco desde el cual se viesen árboles, nubes y primeras estrellas, tal vez el clima hubiera contribuido a mejor resultado.[14]

Sin duda esta reunión a que alude el texto citado se estaba celebrando, a lo que se vislumbra, en una casa particular que tal vez pudiera tener un jardín. Los años cuarenta conocieron la eclosión de las fiestas caseras denominadas «guateques», para las que los padres comprensivos cedían, más o menos a regañadientes, alguna habitación amplia de la casa. Con la colaboración indispensable del «picú», la aportación de diferentes discos y la elaboración de algunos aperitivos y un «cup» de frutas con poco alcohol, se celebraban estas fiestas de juventud, presididas por la incomodidad y por cierta euforia postiza. Eran los guateques, según la descripción de una revista femenina

> ... esas fiestecitas caseras tan agradables para las muchachas y tan desagradables para el papá que se tiene que ir de casa por unas horas y además luego paga los gastos. La gente sentada come mucho más que de pie. Nada de instalarla cómodamen-

te... Una mesa o mostradorcito pequeño donde resulta difícil arrimarse y luego, a hacer equilibrios con la copa en la mano de un lado para otro. Como bebida, un «cup» donde se echa la cantidad de agua que convenga... La ciencia moderna ha descubierto que ciertos vegetales tienen gran utilidad de vitaminas y los ha puesto de moda... Ahórrese en los «sándwiches» el jamón, el salchichón, la mortadela y demás cosas indigestas y prepárense con tomate, pepino y otros productos de la tierra.[15]

El hecho de que aquellas reuniones se celebraran en domicilios de gente conocida y más o menos respetable, frenaba las posibles libertades de los jóvenes asistentes a ellas. La sociedad no le había dado carta blanca en esa época a la juventud para que se sintiera protagonista de nada, y la sombra de los padres, se hubieran ido o no de la casa, estaba perpetuamente presente, contribuyendo a reforzar el encogimiento de los invitados para acceder a cualquier tipo de «avance erótico». Así ha resultado un escritor de nuestros días el carácter ritual de aquellos guateques celebrados por los adolescentes en los años cuarenta:

Los jovenzuelos iban llegando y se iban apelotonando en el extremo de la sala principal, en el extremo contrario del que ocupaban las muchachas, aparentemente ocupadas en la selección de los discos o charlando entre ellas, provisionalmente discriminadas. Así es que, tras el primer saludo, los jóvenes machos trababan conversaciones entre sí, conversaciones peligrosas, porque su persistencia podía estorbar el turno de acudir a la caza de la elegida, que de momento estaba allí disponible con las amigas, esperando... Los guateques en cuestión no pretendían ser, como hubiera supuesto un extraño, ocasiones de relación y de comunicación entre adolescentes o citas de grupo para macar el tedio... Se trataba de intentar, a nivel de mimo, una relación por parejas durante unas horas, de hacer como si esa relación existiera o hubiera debido existir y tuviera contenido. Lo cual hacía que el repertorio gestual, las miradas, los casuales roces no tuvieran más que un valor convencional, totalmente circunscrito a la elemental liturgia de la fiesta. Lo cual, sin embargo, no evitaba los efectos de todo ello en las temperaturas emotivas y en los estados vegetativos de los distintos actores, de manera que el rito era una introducción a la masturbación o al prostíbulo.[16]

En cuanto a las actrices, a quienes estaban vedadas ese tipo de satisfacciones, volvían a casa insatisfechas y soliviantadas.

Tanto en los guateques, como en el paseo, como en las excursiones de pandilla que se organizaban en verano, el acompañante podía mantenerse en su calidad de tal durante meses, dando ocasión a toda clase de conjeturas sobre su comportamiento por parte de la interesada. Se barruntaba que «venía por ella», la sacaba a bailar más que a las demás y se le solía ver a su lado, pero se acercaba siempre a todo el grupo de amigas, que generalmente eran el ciento y la madre. Las trataba con cierta confianza, las llamaba por sus nombres, y todas tenían derecho a hacerse ilusiones acerca de él, mientras no se delimitaran más los campos.

Había una situación muy especial en la que quiero detenerme con algún detalle por su significación de umbral a un erotismo colectivo y difuso: la de ir al cine. En los años cuarenta, cuando no existían ni barruntos del invento revolucionario que habría de meternos las imágenes en casa por la pequeña pantalla, ir al cine era la gran evasión, la droga cotidiana, y constituía una ceremonia que hoy ha perdido toda magia. Una chica nunca iba sola al cine, de la misma manera que tampoco entraba sola en un café. Ir al cine era un ritual de grupo, en el que los prolegómenos tenían también su importancia, porque contribuían al saboreo de la situación. Desde las sugerencias que proporcionaba el título de la película que se iba a ver, intensificadas por la contemplación de las carteleras que se exhibían a la entrada con las escenas más emocionantes, hasta el momento de hacer cola para sacar las entradas, todo el grupo de amigas consumía varias horas a la semana comentando los preparativos e incidencias de aquel asunto, que tenía algo de excursión a parajes más o menos exóticos, donde se iba a vivir por delegación una historia que abría brecha en la rutina de la propia existencia. No siempre eran los cines locales confortables o acogedores, particularmente en provincias, y solo el calor transmitido por las escenas contempladas era capaz de contrarrestar el frío negro que se padecía a veces en aquellos templos profanos.

(Como anécdota ilustrativa del carácter un tanto casero que tenían aquellas excursiones al cine, diré que mi hermana, harta de pasar frío, inventó un recurso que acabó poniéndose de moda entre todo el grupo de sus amigas. Al salir de casa, se preparaba una bolsa de agua caliente y se la ataba con unas cintas por debajo del abrigo, con lo cual el consuelo le duraba durante todo el Nodo y la primera parte de película, menos pródiga en emociones ardorosas.)

Pues bien, si el acompañante de una chica concreta, pero ligado aún a toda aquella recua de amigas, se enteraba de que iban a ir al cine al día siguiente, podía dejar caer la sugerencia de que le dejaran en taquilla una entrada doblada a su nombre, porque él también tenía ganas de ver esa película, y así la verían juntos. Pero en ese «juntos» se vislumbraba la sombra de un plural que no dejaba claros los apetecidos contornos del «tú y yo». Y si la interesada, por timidez, torpeza o amor propio, no hacía las maniobras necesarias para quedarse la última cuando entraban en la fila de butacas correspondiente, corría el peligro de que otra amiga se aprovechase del privilegio de tener sentado a su lado al «acompañante» durante hora y media. Y aquello podía propiciar en ambos el nacimiento de emociones de consecuencias imprevisibles. Aunque apenas se rozaran los codos, la evidencia perturbadora de aquella cercanía física, de aquel perfil masculino atisbado de reojo en la oscuridad, propiciaba unos ensueños de intimidad que se agudizaban cuando la película contemplada era una historia de amor. La expresión de «hacer manitas» usada por entonces para designar las primeras libertades que se tomaban los enamorados, al amparo de la oscuridad de un cine, no solía tener cabida aún en esta etapa, a no ser que se tratase de un muchacho particularmente atrevido. Pero la posibilidad de que aquella mano, que estaba tan cerca, se posase sobre la propia en el momento en que los perfiles de Vivien Leigh y Clark Gable se empezaban a acercar, aceleraba los latidos del corazón con tal fuerza que se hacía innecesaria la bolsa de agua caliente.

El paso de «dejarse acompañar» por un chico a «salir» con él ya suponía una deliberación más comprometedora, y venía marcado por las llamadas por teléfono. «Salen juntos. La llama por teléfono», se solía decir, como noticia importante para medir el grado de intensidad que llevaban las cosas.

El teléfono, en la década de los cuarenta, no se manejaba con la irrespetuosa ligereza y la abrumadora frecuencia con que en nuestros días se hace uso de él. Recibir una llamada por teléfono era algo siempre inesperado y excepcional, casi tan grato como recibir una carta. Con este acontecimiento se iniciaba un posible despliegue de fiscalización familiar. «¿Quién es ese chico que te ha llamado por teléfono?», indagaban las madres o las hermanas mayores, con la antena alerta. Porque el teléfono solía estar colgado en el pasillo o en el despacho, y lo cogían siempre los mayores. Un hombre joven, si no conocía a la familia, tenía que vencer cierta timidez para llamar por primera vez a la casa. Había decidido empezar a «salir» con aquella chica.

Cuando entre la presentación y la invitación a salir no mediaban todas estas etapas, la muchacha tendía a desconfiar y se zambullía en un mar de indecisiones, que trataba de resolver recurriendo al consultorio sentimental.

> Tengo 18 años y el otro día fui a una fiesta en casa de una amiga que se ponía de largo. Había un chico que me gustaba y me dijo que si quería bailar con él y le dije que sí. No nos separamos en toda la noche, salimos al jardín y me dijo muchas tonterías, luego me acompañó a casa. Si me dice que si quiero salir con él, ¿qué debo hacer? ¿Le puedo decir que sí?

La respuesta, cautelosa como siempre, establecía ciertas salvedades y condiciones:

> El que un muchacho en una fiesta sea galante es una cosa muy natural, pero no es bastante. Si sabes quién es (es de suponer, puesto que le conociste en casa de unas amigas), si te diviertes y... ¡cuidadito!, si tus padres te lo permiten, no hay inconveniente en que aceptes su invitación.[17]

Antes de que se produjera la invitación a salir, el papel de ella era difícil, sobre todo si creía haberse enamorado. Podía «hacerse la encontradiza», arreglarse más cuidadosamente, buscar alianza en alguna amiga de la que no desconfiara, ensayar una forma diferente de sonreír y de hablar. Pero lo que nunca podía hacer era llamar al chico por teléfono, a no ser de forma indirecta. Es decir, si por ejemplo era hermano de alguna amiga, se podía llamar a la casa invocando cualquier pretexto y con la esperanza de que se pusiera él.

No quedaría lo suficientemente perfilado el cuadro de estas relaciones de escarceo amoroso anteriores al noviazgo, si no se insistiera en ciertos detalles que me parecen fundamentales para marcar las diferencias con lo que sucede hoy. En primer lugar, a los amigos nunca se les saludaba dándoles un beso, sino la mano. También el lenguaje era deliberadamente circunspecto y elusivo, sin rozar nunca lo escabroso. A un chico a quien se le escapara un chiste atrevido o un taco delante de una señorita, se le catalogaba inmediatamente como un grosero. Ella, por supuesto, ponía cara de no entender. Una de las prerrogativas de la mujer casada es que podía recoger las alusiones subidas de color.

> Los matrimonios jóvenes se reúnen mucho juntos y van a ver operetas donde dicen picardías y ellas se ríen muy alto para que el público vea que son casadas y que saben de qué se trata.[18]

El significado real de algunas palabrotas como «joder», que se le podían escapar al padre o al hermano en momentos de ira, se mantuvo impenetrable hasta bastantes años más tarde para muchas jovencitas de la burguesía. Huelga, pues, decir que este tipo de expresiones no manchaban nunca su boca.

También es interesante dejar claro que durante todas las etapas que he explicado, incluida la de «salir», la chica pagaba sus entradas del cine, sus vermuts y sus helados. «No os dejéis invitar», aconsejaban los confesores, las madres y las monitoras de la Sección Femenina. Dejarse invitar, aunque fuera a un cucurucho de castañas, por un muchacho con el que no se habían entablado aún relaciones de noviazgo era cosa de «frescas».

El momento de la declaración de amor, que en ningún caso hacía la mujer, era el que marcaba la hora de la verdad. Se hiciera por escrito o cara a cara, empleando fórmulas habituales y manidas o dando rienda suelta a una expresión poética personal que garantizara mejor la originalidad y autenticidad de aquellos sentimientos, lo cierto es que ningún hombre que quisiera tener novia podía evitar semejante expediente.

En el monólogo de Delibes, a que se hizo alusión más arriba, hay un testimonio muy interesante de lo que para una chica de la época significaba la declaración de amor:

> ... No es una bagatela eso, que para mí la declaración de amor es fundamental, imprescindible, por más que tú vengas con que son tonterías. Pues no lo son, no son tonterías, ya ves tú, que te pones a ver y el noviazgo es el paso más importante en la vida de un hombre y de una mujer, que no es hablar por hablar, y lógicamente ese paso debe de ser solemne, inclusive, si me apuras, ajustado a unas palabras rituales... No me seduce la fórmula de Armando de salir cuatro tardes juntos y retenerle un buen rato la mano para considerarse comprometidos... Esther y Armando se han casado prácticamente sin ser novios antes, de golpe y porrazo, tal como suena, cosa que, bien mirado, ni moral me parece..., que el matrimonio será un Sacramento y todo lo que tú quieras, pero el noviazgo, cariño, es la puerta de ese Sacramento, que no es una nadería, y hay que formalizarlo, que yo sé que fórmulas hay muchísimas, montones, qué me vas a decir a mí, desde el «te quiero» al «me gustaría que fueras la madre de mis hijos», con todo lo cursi que sea, figúrate, de sorche y de criada, pero a pesar de todo es una fórmula y, como tal, me vale.[19]

En el terreno de la declaración de amor era en el que estaban más rígidamente repartidos los papeles de la pareja.

> No, mujer; por mucho que vayas al cine y aunque incurras en el error de leer novelas americanas, no te contagies. Las mujeres *no se declaran nunca*. Es una pequeña molestia que debemos

conservarles a los caballeros... El calendario y la sonrisa son los únicos remedios infalibles para todos los males.[20]

Era tan impensable que el «te quiero» de la mujer sirviese de sustrato al del hombre, que la simple imaginación de una situación semejante adquiría perfiles de farsa grotesca. Explotando este filón de humor absurdo, Margarita Tono Mihura, a principios de 1944, decía que en aquel año, por ser bisiesto, a las mujeres se les iba a permitir declararse, y hacía una encuesta a varias de ellas fingiendo que les pedía en serio su opinión al respecto. Todas las encuestadas escurrieron el bulto o bromearon, como si les estuvieran hablando de un asunto que jamás podría llevarse a la práctica.[21]

En la prensa femenina de la época se encuentran con frecuencia diversos comentarios acerca de la indecisión y falta de arrojo de los chicos a medida que las etapas anteriormente reseñadas los iban conduciendo ante aquella puerta inquietante de la declaración de amor, que no todos se atrevían a empujar, aunque llevasen ya algún tiempo detenidos ante ella, en un silencio que los paralizaba.

> Si un día me decido a hacer la estadística de los «silenciosos» frente a una mirada encendida, estoy segura de que alcanzarán el mayor porcentaje. Ha cundido tanto la pereza «declaratoria» en los hombres... que no sé qué porvenir va a tener el mundo entre tantos cañones y tan poco ímpetu juvenil.[22]

La etapa de «salir» con un chico, o «estar en plan» con él, como también se decía, no era satisfactoria para una muchacha, cuando se alargaba mucho sin que llegaran a ponerse las cosas en claro mediante la anhelada declaración de amor.

> Esos términos medios no satisfacen. Tienes que obligar a ese caballero a poner el asunto más en claro. Si quiere tu exclusiva, por mucho que tú estés deseando concedérsela, que se moleste en pedirla.[23]

¿Pero de qué manera forzar a un caballero a poner las cosas en claro si estaba tan prohibido dar datos acerca de los propios sentimientos como mostrar impúdicamente una impaciencia excesiva por escuchar palabras arrebatadas? La única posibilidad femenina para espolear al perezoso a que pidiera aquella «exclusiva» era la de hacerle comprender –no con palabras, sino con hechos– que existían otros que podían adelantarse en tal pretensión; que la paciencia tiene un límite:

> Me parece que si no está enamorado de ti, le falta muy poquito, muy poquito, y de ahí su reacción al ver que salías con otro y estabas medio en plan. No quiere atarse ni comprometerse hasta tener la seguridad de que puede casarse... y de ahí provienen sus cambios de humor contigo, esos «tira y afloja» que a ti te desesperan... Comprendo que tu situación puede llegar a ser peligrosa, ya que no se puede garantizar que siga pensando lo mismo al terminar la carrera, y tú te puedes enamorar cada vez más y encontrarte al cabo del tiempo con la vida deshecha.[24]

Aquellos «tira y afloja» que jalonaban las relaciones de una pareja antes del noviazgo ponían a prueba el aguante de la chica, generalmente aconsejado a ultranza. Aguantar con sonrisa comprensiva los cambios de humor del hombre y sus esporádicas espantadas, si bien era apostar por una carta imprevisible, significaba hacer progresos en el meritorio camino de la sumisión a una voluntad más fuerte que la propia. Y además las «marchas atrás» del hombre indeciso también podían tomarse como signo de interés, se trataba de aprender a interpretar correctamente los arbitrarios altibajos de aquella línea quebrada.

> Si no representases para él más que una amiga, te trataría siempre lo mismo. Por el contrario tiene cambios bruscos. Tan pronto es cariñoso, confidencial, te habla de sus proyectos, de su porvenir, de sus ensueños, como al minuto siguiente se convierte en un témpano irónico y desagradable. La razón de todo te la dio él mismo al decirte que «no quería pensar en nada se-

rio hasta el final de su carrera». Hay muchos hombres que no quieren comprometer a una mujer hasta poderle ofrecer un porvenir claro y resuelto... Tienes que aguantar, aguantar y aguantar todo lo que te ocurra.[25]

Debe decirse, en honor de la verdad, que la pereza declaratoria de los jóvenes de aquella época no solamente estaba motivada por la incapacidad de ofrecerle a su amada en breve plazo un porvenir seguro, aunque este fuera un freno en muchos casos. Existían aparte de estas razones de tipo práctico, también otras de índole psicológica, que afectaban a la propia identidad varonil, ansiosa y temerosa de un refrendo que dejara bien parada la autoestima. La declaración de amor significaba someterse a una especie de examen donde a uno le podían suspender, era arriesgarse a «recibir calabazas», un desaire bastante hiriente, por el que las chicas nunca tenían que pasar, y que tambaleaba la seguridad de un hombre cuyos atractivos físicos nadie había encomiado delante de él, aunque pudiera estarlo deseando. La certeza de «gustar» a las mujeres no la tenían más que unos pocos.

Recibir una declaración de amor, se contestara a ella afirmativa o negativamente, era ya para la muchacha una primera garantía de su puesta en valor. No siempre se decía que sí a la primera, y en ese período más o menos breve hasta la aceptación, donde se ponía a prueba el interés de él y se le forzaba a la insistencia, es cuando realmente una muchacha vivía algo parecido a una aventura. Lo difícil era trocar luego el noviazgo en aventura, hacer escapar de la rutina unas relaciones formales que, una vez establecidas como tales, serían vigiladas por muchos pares de ojos al acecho de su desenvolvimiento; seguir mirando con la misma ilusión al novio «que ya te tenía segura» que al joven consumido de zozobra ante el obstáculo. Y algunas chicas «noveleras» de postguerra tendían a alargar a propósito aquel período anterior a conceder el «sí», le daban coba, lo saboreaban. Porque solamente durante ese plazo intermedio entre el sueño y la realidad se sentían dueñas de su destino, libres de elegir o dejar de hacerlo, protagonistas.

Las mujeres somos bastante coquetas y gustamos de este pequeño tira y afloja que solamente podemos permitirnos en esa época preliminar del Amor con mayúscula.[26]

Por una parte, se sabía que con aquella demora se recrudecía casi siempre el deseo de él, o por lo menos su amor propio. Pero además, decir que sí a la primera denotaba demasiada impaciencia por tener novio. Había que «darse a valer». Una canción de la época, el famoso bolero *Quizá, quizá, quizá,* retrata muy bien aquella situación de suspense bastante habitual:

> Estás perdiendo el tiempo,
> pensando, pensando.
> Por lo que tú más quieras,
> ¿hasta cuándo, hasta cuándo?
> Y así pasan los días,
> y yo desesperando,
> y tú, tú contestando:
> quizá, quizá, quizá.

Los razonamientos de tipo práctico esgrimidos por la chica ante el muchacho que se le declaraba («dame un poco de tiempo para pensarlo», «eres muy voluble» o «no sé qué dirán mis padres») eran muchas veces puro pretexto. Con aquel plazo lo que se ponía a prueba era la capacidad de sufrimiento de él, sus dotes de tenacidad y lealtad. Y había también en aquel «darse a valer» un ingrediente de aventura, que explicaba el rechazo de pasar a engrosar el tedioso cotarro de las chicas con novio. Daba miedo conocer mejor lo que se había soñado desde la ilusión y el desconocimiento. Con el hombre al que aún no se había aceptado mediante el «sí» cabía el terreno de la ambigüedad, del juego; con un novio ya no se podía jugar.

Mira, hija, eso de jugar a los novios me parece que no es lo más indicado para tomar como diversión. No debes nunca entretener a un hombre que está enamorado de ti solo porque te aburres y piensas que así puedes pasar las tardes más divertida.[27]

La diversión, por lo tanto, quedaba circunscrita a la etapa anterior al compromiso, al entretenimiento solitario. Era, por otra parte, algo insatisfactorio, como torear sin toro. Pero al toro del hombre se le tenía miedo. Y miedo también a dejar de valer ya para nada en cuanto concluyera el período de darse a valer. Claro que, frente a estos miedos, se incubaba uno de signo contrario, inyectado generalmente por las madres casamenteras o por las amigas bienintencionadas: el de que el chico en cuestión se hartara de que le dieran largas. Pero en ese riesgo estaba al mismo tiempo el aliciente. El derecho a decir que no, o que todavía no, o que quizá - quizá - quizá era la mayor manifestación de libertad y rebeldía, la única situación donde la chica de postguerra, sin sentir la condena de la sociedad, podía tener la sartén por el mango, inventar algo, dar rienda suelta a su sed de aventura.

Los padres solían estar bastante al tanto de los posibles candidatos a la mano de sus hijas. Un chico que estuviera acabando la carrera o haciendo oposiciones a algo, y que además fuera serio y de familia conocida era el más aconsejable, un hombre estable, responsable, de porvenir. Otro extremo en el que se insistía machaconamente era en el de la diferencia de edad, al que ya se hizo alusión en el capítulo V.

> Diez años de diferencia no están mal entre hombre y mujer, siempre, naturalmente, a beneficio de ella. Realmente el caballero debe tener la cabeza más sentada y los gustos más consolidados que su media naranja, y además conviene que se ponga viejo antes, porque así nos dan cierto margen de descanso en su afán de... «corretear».[28]

En otros textos se acentúa un poco más la índole sexual de este consejo, aunque se trate siempre de alusiones veladas por el eufemismo.

> Si los cinco años fueran «a favor de él», la cosa era mucho menos peligrosa; conviene mucho que se pongan viejos a tiempo. Lo malo es que los caballeros «duran más» físicamente,

espectacularmente que nosotras, y por lo tanto conviene mucho tomar precauciones para restarles ventajas.[29]

Pero no siempre lo que convenía era lo que gustaba, y todas estas preferencias basadas en una prudente reflexión no solían coincidir con las preferencias viscerales de la interesada, que no le veía la gracia a aquella monserga de que los hombres se pusieran viejos cuanto antes. Los jóvenes guapos y atrevidos, que eran los que tenían éxito con las chicas, resultaban ser casi siempre un poco sinvergüenzas, malos estudiantes, unos «zánganos», de conversación tan divertida y brillante como incierto porvenir.

Tampoco es nuevo eso de que los más zánganos son los más divertidos. Luego ya en la perspectiva del hogar, piensa que los tranquilos, feúchos, aburridos, poco brillantes, en fin, son más convenientes para deslizarse por la existencia sin muchos barullos. Pero como el marido no surge hasta que el novio se acaba... En fin, un lío. Prueba con ese pretendiente, buenecito él, transigente y pacífico él, que no es tu ideal pero puede ser tu tabla de salvación.[30]

En las componendas para seguirse aferrando al ideal, sin perder de vista las posibles tablas de salvación que aún se oteaban como disponibles a la chica de postguerra, desasosegada por los espinosos dilemas de la elección, se le podían consumir los mejores años de su juventud. Para entretener la espera de lo definitivo (la aparición de aquel hombre interesante de las novelas), se entregaba a diversiones ocasionales con algún acompañante simpático y trivial, a quien utilizaba como puente de acceso a las regiones soñadas. Así satirizaba esta situación el semanario *La Codorniz*:

La vida está llena de muchachos que bailan bien, que saben cuentos estupendos, que conocen el último chisme de moda, pero que tan solo sirven para «flirt-puente» mientras se presenta otro hombre de más categoría. El hombre interesante sabe evadir siempre que las mujeres lo tomen como flirt-puente. Las mujeres se enamoran de él de una forma definitiva. Quien no se enamora de una forma definitiva es él... Cuando hablamos de un hombre interesante, no hablamos, como es lógico, de un buen partido. El buen partido es un muchacho de carrera, hijo único, que sirve para arreglar la plancha eléctrica y sabe poner inyecciones... Este hombre está destinado a llevar la ventura y la paz a los hogares. Que es justamente a lo que no está destinado el hombre interesante... Todo el mundo se cansa de todo el mundo. El tacto del hombre interesante consiste en ser él quien se canse primero.[31]

Una gran proporción de aquellas muchachas que se decidieron por el buen partido y se convirtieron en esposas intachables siguieron, sin embargo, manteniendo encerrada en un cofre secreto, durante muchos años, la imagen embellecida del hombre interesante que hizo latir su corazón como nadie lo volvería a hacer latir nunca.

El hecho de declararse novios un hombre y una mujer iniciaba un proceso bifurcado en dos direcciones generalmente antagónicas y que se obstaculizaban entre sí. Una la del ensayo de aquella pasión soñada, vía de libertad y juego que clamaba por los fueros de la entrega placentera al presente. Otra de integración en el mundo adulto y de sumisión a sus leyes de ahorro y de sentido común, donde el control del grupo familiar de cada enamorado presionaba para que la meta del futuro desactivase el placer del vuelo de la pareja, su tendencia a perderse o «embalarse» (verbo que se usaba mucho) por regiones innovadoras y peligrosamente alejadas de la rutina. Se trataba de cortar alas.

Esas parejas que se aíslan de todo para cantarse endechas apasionadísimas un día, al siguiente pueden llegar al trance matrimonial con un embalamiento maravilloso, pero sin saber nada uno de otro en todas las facetas de lo normal, de lo rutinario, de lo forzoso ... Tú eres demasiado inteligente para caer en esta equivocación. No temas nada. Para quien no piensa en volar, no hay jamás fantasma de jaula.[32]

La gente se enteraba de que un chico y una chica se habían hecho novios cuando los empezaba a ver solos en el cine o tomando el aperitivo. Tampoco podían volver a bailar él con otra ni ella con otro.

Estaba permitido que los novios «hicieran manitas» y que pasearan cogidos del brazo. Pero poco más. Lo de «hacer la bufanda», es decir llevar a la chica cogida por el cogote, solo se aceptó algunos años más tarde.

Se iniciaba para la pareja una etapa tensa e ingrata, sin más sorpresas que las que pudiera depararle su propia conversación, muchas veces insincera y mortecina. Conscientes los usufructuarios de aquella incierta aventura de que su pacto suponía una inversión para el futuro, o hablaban de ese futuro o se arriesgaban a vivir las sorpresas que les deparaba el presente, como situación inédita e innovadora. Entregándose a esta segunda alternativa, el noviazgo perdía su enaltecido cariz de «zona templada», presidida por la gradación y la cautela necesarias para esquivar las amenazas del juego resbaladizo del amor.

> El amor empieza a carecer de su zona templada, de esa primera fase del noviazgo, deliciosamente irisada, tan necesaria para su plenitud.[33]

El delicioso iris de aquella zona templada se quebraba en chispas infernales y llamaradas con olor a azufre cuando la novia, amonestada desde la infancia por criterios de prudencia, ahorro y sensatez, descubría con susto que la prolongación más coherente de aquel amor, que había confesado corresponder, se manifestaba en asaltos más o menos bruscos e impacientes contra su pudor. Sentirse, a despecho de su retórica moderadora, deseada carnalmente por aquel muchacho con el que iba al cine y salía de paseo, y a quien ya no era tan fácil mantener a raya, despertaba en ella una serie de emociones y dilemas para cuyo análisis raramente podía servirle de apoyo el mismo que los provocaba, más empeñado en conseguir los favores que requería que en explorar, a través del discurso incoherente y suplicante de su pareja, la turbación de un alma femenina y mantenida en invernadero, al toparse con las crudas exigencias del sexo.

Y la esforzada labor de la novia decente era, desde entonces, frenar los excesos de pasión de él, no permitirle que le dijera cosas subidas de color, ni que bailara demasiado apretado ni que la quisiera llevar de paseo al atardecer a parajes demasiado solitarios. Era una lucha difícil y que a veces duraba años, porque los noviazgos de la postguerra solían ser muy largos. Y había que poner las cosas en claro desde el principio, porque ya se sabía que al hombre que se le daba el pie se tomaba la mano y siempre iba a estar dispuesto a pedir más. Las primeras condescendencias eran, pues, las peores.

> Es muy difícil aconsejarte ahora, porque el «usufructante» se ha acostumbrado a tus condescendencias. Pero mucho se puede conseguir evitando ocasiones, buscando temas de conversación que no sean apasionados, etc.[34]

La verdad es que los novios, incluso los más ardorosos, no sabían dónde ir. En el marco de una sociedad tan precaria económicamente como la de los años cuarenta donde ningún joven tenía coche ni un pisito de soltero, los novios vivían al raso, desterrados. Sus excursiones a las afueras, sobre todo cuando llegaba el buen tiempo, eran consideradas con alarma. Y se le atribuía una perniciosa complicidad a la bicicleta, el único diablo de dos ruedas que favorecía un desplazamiento sin testigos.

> Las mujeres admiten toda clase de libertades procedentes del sexo contrario, acentuadas en los noviazgos, siendo de notar la perjudicial influencia que la generalización del uso de la bicicleta ha producido en orden a las excursiones lejos de la ciudad.[35]

Otro recurso, más invernal este, era el de meterse en un cine, procurando conseguir la última fila. Los cines, según un informe de la época se habían convertido en

> ... verdaderos antros de lascivia, en los cuales se compra y se paga el deleite fugaz de unos minutos al amparo de la oscuridad.[36]

Este tema de la inmoralidad en los cines, que llegó a preocupar como una cuestión de Estado, provocó algunas medidas de tipo inquisitorial por parte de las autoridades de provincias.

> Pudiera procederse –como ya se ha hecho en Almendralejo– al observar alguna actitud indecorosa, a proyectar en la pantalla una llamada al orden «a los ocupantes de la fila tal», sin indicar el número de la butaca, pero con la amenaza de señalarla a continuación si no rectificaban.[37]

En cuanto a los cafés un poco solitarios, muchas parejas cariñosas de la época sufrieron la humillación de ser echadas de ellos sin más contemplaciones.

El terror a ponerse en evidencia se aliaba con la noción del pecado. Aparte de eso, existía la convicción, respaldada por la sabiduría popular, de que el hombre acababa despreciando a la mujer que se rendía a sus insistentes requerimientos de intimidad. «El que en la calle besa, en la calle la deja», rezaba un refrán que estaba en boca de todas las madres. Hace poco me contaron el caso de un chico andaluz bastante tímido con las mujeres, que se echó por fin novia. Cuando al cabo de dos años un amigo suyo (el mismo que me ha narrado la anécdota) volvió a encontrárselo y le preguntó que qué tal le iba el noviazgo, el interesado bajó la cabeza y declaró que se había visto obligado a romper con aquella chica. «¿Por qué?», le preguntó el otro intrigado. «Pues ya ves, porque le toqué una teta y se dejó», fue la respuesta.

En general se consideraba que un novio que no sabía respetar a su novia, no estaba realmente enamorado de ella.

> Yo te aconsejaría... que terminaras con ese novio que tienes, y que demuestra lo poco enamorado que está de ti. Cuando un hombre busca en la mujer ciertas concesiones como las que a ti te pide, señala que la valora en bien poco y que únicamente le da importancia a la apariencia externa, pues en otro caso no se le ocurriría ni proponérselo. Y en cuanto a ti, ¿no crees que toda mujer lleva en sí un pudor innato que se rebela instintivamente

antes de prestarse a lo que tú crees «muy natural en las relaciones de novios»?[38]

Este ten con ten de la chica decente para mantenerse fiel a los mandatos del pudor sin que el novio perdiera el interés por ella llegaba a convenirse en una estrategia fatigosa y monótona, sobre todo si se tiene en cuenta que la «zona templada» del noviazgo podía durar años y más años. Algunos textos de la época se esforzaban por cantar, con una retórica bastante hueca, las excelencias y ventajas de aquella larga y paciente espera, donde la mujer hipotecaba su presente en aras de un futuro glorioso.

No hay nada legislado sobre la duración de los noviazgos. Ni leyes que impidan esperar paseando por los jardines vibrantes en primavera y melancólicos en otoño. Unos cuantos años de confidencias, de ilusiones y presentimientos son preciosos en la espera y en el suspiro de la emoción... Si tú eres capaz de hacerlo resucitar, llegarás a la boda, cuando sea, con un regusto de encariñamiento acariciado cuidadosamente, apasionadamente cultivado.[39]

Pero los noviazgos largos eran una auténtica tortura, la plaga de la época. Y para aguantarlos con ánimo a base de «confidencias, ilusiones y presentimientos», sin que la rutina desluciera aquel decorado de jardines vibrantes en primavera y melancólicos en otoño, se requería un temple similar al de los reincidentes opositores a Notarías o a abogados del Estado.

Sois varias las chicas monísimas que «arrastráis» un largo noviazgo sin demasiada seguridad de que «esta oposición» tan laboriosamente preparada valga la pena.[40]

Para la muchacha, en efecto, era como hacer oposiciones de resultado tan cuestionable como aquellas que estaba preparando su novio. Nadie podía garantizar que aquel tiempo perdido se fuera a amortizar con éxito. Podía convertirse, por el contrario, en un arma de dos filos que contribuyera al deterioro de las ilusiones.

Generalmente los noviazgos largos no suden terminar muy bien, pues muchas veces el hombre se cansa, y después de que la novia ha soportado media carrera, cuando ya cree haber llegado a la meta, a él se le ha pasado la ilusión y cree que es más caballeroso cortar por lo sano.[41]

También para esto de cortar por lo sano sin motivos aparentes, es decir por simple hartazgo, el hombre tenía más bula que la mujer. Y ella, aunque no guardara demasiados buenos recuerdos de aquella larga e inútil prueba, se sentía herida en su amor propio, desairada ante los demás.

Sin duda después de muchos años de noviazgo queda... una raíz de hondo afecto que es difícil de arrancar, pero no es menos cierto que Ud. agudiza su pena al pensar en lo que sus amistades opinarán de esta ruptura, ante la idea de que esas «predilectas amigas»... se han salido triunfantes con lo que auguraban.[42]

Conscientes del supremo desaire que suponía dejar a una novia de muchos años, algunos hombres optaban por una vía sinuosa, aunque conducente al mismo propósito: la de ir dosificando una serie de desaires subsidiarios, aunque cada vez más evidentes, para forzarla a ella a tomar aquella decisión, concediéndole así la prerrogativa de que pudiera decir: «Fui yo quien le dejó a él», con lo que quedaba a salvo su dignidad femenina. Pero algunas eran duras de pelar, y se resistían a aceptar aquella evidencia, por mucho que se la estuvieran poniendo delante de los ojos.

Que tu novio no te quiere es un hecho consumado que tú misma has experimentado. Que no se atreve dejarte y está dándote motivos para que lo hagas tú salta a los ojos.[43]

El caso de la chica que dejaba plantado a su novio porque le estaba «dando motivos» era más o menos frecuente. Y del peso que estos motivos tuvieran ante la opinión general dependía la dignificación de la víctima, que en algunos casos podía salir de la prueba con su halo de decencia no solo indemne sino reforzado, circunstancia que podía estimular a un nuevo pretendiente.

Pero si dejaba a un novio de la noche a la mañana no por los «motivos» que él le hiciera, sino atendiendo a motivos de índole personal (como podían ser los de que se le cruzara otro que le gustaba más o simplemente la comprobación de que se aburría o se sentía decepcionada) era mirada con reprobación casi unánime, como a alguien que se atreve a subvertir un orden de valores: aquel que uniformaba a la mujer con los atributos de la sumisión y el aguante, mientras que ponía en manos del hombre la batuta de las decisiones trascendentales.

Cuando los novios rompían, había la costumbre de que se devolvieran los regalos y las cartas que se hubieran podido escribir. Muchas veces esta petición, que solía partir de la novia, era un pretexto, un cable esperanzado que se lanzaba para reanudar el rosario amoroso de reproches y disculpas.

> Pídele las cartas… Hay quien sostiene que la auténtica propiedad de los pliegos escritos es de aquel que los recibe. Pero en casos de amor, lo que se pretende al pedirlas no es tanto recuperarlas como dar ocasión a que el otro las niegue, y se pueda rehacer el repertorio de frases amorosas.[44]

A un novio con el que se rompía definitivamente, no había costumbre de volverle a hablar ni siquiera a saludarlo cuando se le encontraba por la calle, detalle bastante sintomático de las escasas raíces de amistad que se habían echado con aquella relación.

Las posibilidades de ruptura se aminoraban notablemente cuando el novio empezaba a «entrar en casa», primer estadio de formalización real de las relaciones, y al que solo seguía, antes de la boda, la petición de mano.

Un novio que ya entraba en casa suponía una doble garantía para las madres casamenteras: la primera, la del mayor compromiso que adquiría dando ese paso; la segunda, la del control más directo que se podía ejercer sobre unas relaciones que ya no se desarrollaban únicamente del portal para afuera.

Un novio de portal –justificaba su teoría la tía– viene, llega, sale y un buen día desaparece sin dejar rastro ni reclamación posible... Pero el novio que sube al piso, merienda, juega las partidas de cartas, asiste a las tardes en que un familiar tiene anginas, conoce a las criadas, recibe recados por teléfono en el número de la novia, participa de santos y cumpleaños, ese novio, hija mía, es más difícil que huya... ese ¡no se escapa![45]

Resultaba más difícil, efectivamente, romper con una novia cuando ya se entraba en casa, como también pretender de ella favores que atentaran seriamente contra su pudor.

Hasta la petición de mano, ceremonia que tenía lugar pocas semanas antes de la boda, con el consiguiente intercambio de regalos, la coacción de la familia se hacía progresivamente abrumadora e inesquivable. Y cuanto mejor se viera tratado el recién admitido a aquellas habitaciones donde se servían meriendas, se oía la radio, se dilucidaban cuestiones económicas y se hacía crochet, más prisionero se sentía. También podía sentirse prisionera ella, claro está, pero la conformidad que le habían predicado desde la infancia le impedía ahondar en aquella vaga insatisfacción experimentada a veces al comprobar que su novio seguía siendo para ella un perfecto desconocido, al que se acepta y se perdona a ciegas.

La paciencia debe acompañar a la mujer día y noche, como si fuera vuestra sombra, sentarse en nuestra mesa, no abandonaros en los momentos de emoción y sosteneros en las horas de amargura, porque entre el fondo del alma del hombre y de la mujer media siempre tan gran distancia que hasta el hombre dotado de delicadeza excepcional hará sufrir, cuando menos lo piense, a la mujer menos susceptible.[46]

Sobre la época, ya tan lejana, de las miradas, que se inició bajo los auspicios del jugueteo, la audacia y la promesa, empezaba a caer un manto polvoriento de domesticidad, una coraza de buen sentido. La novia empezaba a hacerse el ajuar, a no salir con las amigas cuando él tenía que estudiar, a «guardarle ausencias» si se iba de viaje, a no interesarse más que por el porvenir del novio, por sus quiebros de humor, por aquellos súbitos silencios que se instalaban a veces entre ambos como una barrera cuyos cimientos jamás se investigaban. Y toleraba de mejor o peor grado que él siguiera saliendo con los amigos, yendo al café de noche y sabe Dios si teniendo alguna aventura con la que consolarse de tanto estancamiento. Empezaban las riñas, las medias verdades y las lágrimas, las discusiones cerradas en falso con algún beso furtivo, que acentuaban la sensación de agobio. Y así se llegaba al día de la boda. Totalmente a ciegas.

> Los novios a punto de contraer matrimonio se parecen al funámbulo que, con los ojos vendados, vacilante, anda sobre el abismo... La gran desgracia es que son ignorantes. ¿Qué saben de sí mismos y del otro? Que son jóvenes y guapos, ricos o pobres, de buena familia o de carácter amable. Esto «creen» saberlo. Todo lo demás lo «esperan».[47]

Unos años más tarde, cuando algunas revistas católicas de vanguardia empezaron a plantearse la necesidad de abrir los ojos de las futuras esposas y acometer aquellos temas de la relación entre los sexos desde una óptica más realista, un autor criticaba así la falta de información sexual que había presidido hasta entonces la educación de las mujeres:

> Las mujeres devotas y burguesas de las últimas cuatro o cinco generaciones, víctimas del pseudoespiritualismo erótico y «rosa» del siglo XIX, adoptaron ante el problema sexual la actitud del avestruz, defendiendo con tenacidad el ideal de lo que dieron en llamar «inocencia», ... ignorancia a ultranza de todo lo relacionado con el sexo, por considerarlo en principio feo, malo, e inconveniente... Parece como si se quisiera sentar el postulado de que lo sexual, en principio, es malo ... El sacramento del matrimonio resulta forzosamente menospreciado y reducido al triste papel de una tolerancia excepcional, una salvedad, algo así como una «vista gorda» de Dios ... Prueba de ello es la costumbre, existente todavía en muchas congregaciones de «hijas de María»,

de expulsar de su seno a las que contraen matrimonio ... Tengo referencias de que en alguna congregación esa expulsión se lleva a cabo, además, de forma pública y vejatoria, quitando a la novia la medalla en pleno altar y apenas ha pronunciado el «sí, padre».[48]

Excedería de los límites de este trabajo, ya demasiado dilatado, el análisis en profundidad de las secuelas que esta ignorancia pudo significar para la buena marcha de las relaciones matrimoniales.

De todas maneras, creo que a estas alturas de la década de los ochenta ya se ha hablado cumplidamente, y de forma incluso algo abusiva, de la represión sexual de los años de postguerra, a la que se ha echado la culpa de todos los infortunios padecidos por los matrimonios que hoy ven a sus hijos comportarse de manera diametralmente opuesta en sus relaciones amorosas.

A mi modo de ver, aquella represión sexual, aunque pudo efectivamente provocar la infelicidad de muchos matrimonios, no era ni mucho menos tan grave como otro fenómeno más desatendido y subyacente al primero: el de la represión de la sinceridad entre los hombres y mujeres a lo largo de los años de trato que jalonaban su permanencia en aquella «escuela del noviazgo» tan decantada. La exaltación de la insinceridad, a que ya he hecho suficiente referencia, llegaba a postularse en términos tan descarados como los siguientes:

Para ganar en quites de amor, hay que empezar por perderle el respeto a la sinceridad.[49]

Empezando por ahí, ya hemos visto el proceso que seguían los estudiantes de aquella asignatura; no hace falta insistir en ello. A lo largo del presente trabajo, creo haber dejado suficientemente claro que la pérdida del respeto a la sinceridad fue causa primordial de descalabro y nunca de ganancia en los quites de amor que he venido analizando.

Más que las trabas que se les ponían a los novios de postguerra para besarse sin remordimientos y tener ocasión de conocer, antes de la boda, sus respectivos cuerpos, considero perniciosas las que se les pusieron, al amparo de la insinceridad, para llegar a ser amigos y conocer sus respectivos deseos, miedos, decepciones y esperanzas. En una palabra, para dejarse querer y ver por el otro en su verdad desnuda, no con arreglo a los datos falsos que se proporcionaban mediante la representación de un papel.

EPÍLOGO PROVISIONAL

En septiembre de 1953, tuvo lugar la firma del convenio económico con los Estados Unidos de América, gracias a cuyo pacto irían superándose poco a poco parte de las penurias del bendito atraso.

Un año antes, en 1952, habían desaparecido las últimas cartillas de racionamiento y se fundaba Televisión Española, aunque hasta 1956 no comenzara su programación regular en la zona del centro.

Las aspiraciones de los nuevos burgueses y de sus hijos, de las cuales se había de hacer cómplice la publicidad, se orientaban hacia la consecución de los pequeños placeres materiales que propicia la sociedad de consumo, desde poder veranear hasta adquirir un cochecito funcional, una nevera o una lavadora. Los conceptos autárquicos del nacional-sindicalismo, con su perenne referencia al heroísmo y a la tradición, empezaban a sonar como una música anticuada, aburrida e inoperante.

A mediados de la década ya algunas mujeres embarazadas demostraban su «modernidad» acudiendo a recibir las lecciones que sobre el parto sin dolor eran impartidas por una minoría de ginecólogos. Uno de ellos, el doctor Montobbio Jover, abogó, apoyándose en una opinión de Su Santidad, por las ventajas que aquel sistema suponía para la impasibilidad y la serenidad de la parturienta con vistas a hacer desaparecer el nocivo síndrome miedo-tensión-dolor que hasta entonces acompañaba al nacimiento del hijo.[1]

Por un decreto del 26 de octubre de 1956, seguido de unas normas prácticas que dio la Nunciatura a todas sus diócesis, se intentaba hacer posible el matrimonio civil, incluso a los bautizados en la Iglesia Católica que hayan apostatado o rehúsen estar sujetos a las normas matrimoniales católicas, siempre que lo hagan con plena deliberación y conciencia y previamente advertidos... de la transcendencia de su decisión. Como católicos conscientes de que la fe no puede imponerse coactivamente, celebremos esta nueva regulación que sin duda evitará en el futuro lamentables sacrilegios e hipocresías.[2]

A lo largo de toda la década de los cincuenta se perciben conatos de contestación por parte del clero joven, empeñado, entre otras cosas, en poner de relieve la infrahumana condición de los suburbios, que el Gobierno silenciaba o achacaba a las inmoralidades de la guerra. Uno de estos «curas progres», el padre Llanos, cuya labor en pro de los suburbios es de sobra conocida, colaboró en la revista *El Ciervo,* bajo el epígrafe «Examen de conciencia», con una serie de artículos que en algunos lectores provocaron escándalo. Una señora, por ejemplo, mandó a la revista la siguiente carta:

Bien está que ustedes, los sacerdotes, nos hagan sermones y nos hablen de las modas, de los pobres, del baile, de las playas, ahora que viene el verano, como se ha hecho siempre. Pero volver la casa al revés, eso ya llega al límite. Es usted demasiado «avanzado»... Su misión es moderar, mantener nuestra tradición, nuestra católica España, nuestra vida familiar ejemplar... y con sus teorías el hogar perdería su atractivo, su razón de ser. Nadie querría estar en casa... Bien sé que trabaja usted mucho y que hace, según dicen, una gran labor social. También nosotras queremos mucho a los pobres, ¡no faltaba más!, para eso vamos a verles y a llevarles cupones. Hable usted de los pobres, si quiere, pero deje a cada uno tranquilo dentro de su propia casa.[3]

De los pobres, hasta entonces, solo se habían atrevido a hablar en sus chistes Tono, Mihura y Herreros. Por ejemplo, este último hizo una portada para *La Codorniz* donde se veía a un hombrecito en las últimas y apenas guarecido por el tejado de uralita de una minúscula chabola. Levantaba el rostro demacrado para atender a las palabras del médico con chistera que había venido a visitarle y estaba extendiendo una receta. La leyenda decía: «Ya puede usted comer de todo.»

En el campo de la literatura hay alguna brecha aislada y notable rasgando aquel telón de guardarropía que se había corrido para ocultar la miseria. Por ejemplo, el excelente cuento de Ignacio Aldecoa *Seguir de pobres* está escrito en 1945.

En 1948, se estrenaba en España la película italiana *Ladrón de bicicletas,* dirigida por Vittorio de Sica. El neorrealismo italiano, que saltaba con ella a nuestras pantallas, había de introducir el cultivo de los personajes antiheroicos, fijando la atención en la pobre gente de los bajos fondos y en los problemas de los marginados.

Por estas mismas fechas, la prensa empezó a hacerse eco de los peligros del existencialismo francés, introducido subrepticiamente, pero que ya fascinaba a algunos jóvenes con su promesa de revolución liberadora.

> Jean-Paul Sartre, el inventor del existencialismo, se ha puesto de moda en París y el mundo, en un movimiento de papanatismo, vuelve hacia él la cabeza... La filosofía existencialista se nos revela como una cómoda teoría al servicio de la vida cotidiana, donde los hombres sin moral hallan la justificación de una moral superior; los torpes y encenagados, el perdón de un espiritualismo sin sacrificio, y los hombres que han vendido su alma a la juventud, la posibilidad de convertir su pecado en una melancolía salvadora.[4]

Las primeras barbas existencialistas, lucidas por extranjeros que hacían gala de un particular desaliño indumentario, irrumpieron en nuestro país a partir de 1953, coincidiendo con el desarrollo del turismo, importante recurso económico del que las nuevas directrices políticas ya no podían prescindir. Aquellos hombres que habían «vendido su alma a la juventud» y que pronto tuvieron fervientes imitadores en nuestro suelo, se rebelaban contra las prédicas de sumisión entusiasta a los principios de la generación anterior. Y su escepticismo, que se consideraba un insulto a las normas de la decencia y la buena educación, trataba de descalificarse, tachándolo de frivolidad.

> Los tipos nuevos semejan robinsones con su barba exótica y su melena larga revuelta... No sé hasta qué punto puede fluir el genio de un hombre morboso que convierte su escritorio en bar, comedor y biblioteca, mientras cruza su brazo con el de una mujer sospechosa. Así, en este ambiente frívolo, indiferente, son capaces de hablar o escribir sobre la «angustia existencial» o la «náusea existencialista». No me extrañan nada su angustia y su náusea ... A eso se reduce el hombre sin ideales puros: al hastío, y por fin, como remate, al suicidio.[5]

Frente al entusiasmo, vocablo clave de la retórica falangista, empezaba a asomar, como monstruo de tres cabezas, la palabra «angustia», iniciando una batalla que llegó a encontrar cumplido eco en las novelas españolas escritas durante la década de los cincuenta.

> Sobre esta palabra –*reconoce un autor falangista*– gira la mayor parte del problema espiritual de nuestro tiempo. Hay una filosofía de la angustia y una serie de estudios que giran de modo constante sobre este juego de motivos: angustia, decadencia. Frente a esta filosofía de la angustia, José Antonio puede levantar una filosofía de la alegría, «la poesía que promete». Alegremente, poéticamente son los dos motivos de su doctrina, que se levantan en un mundo tenebroso y desesperanzado.[6]

Pero en los años cincuenta, predicar ya la alegría joseantoniana como antídoto de la apatía reinante era intentar curar el cáncer con aspirina. La juventud española de la nueva hornada empezaba a tener algo que decir al respecto, y se atrevía a formular reproches a sus moldeadores de conciencia.

Es hora ya de decir bien alto que la apatía, la falta de inquietud, la frivolidad, el egoísmo, todo eso de que se acusa a nuestra juventud, no lo son por ella misma, sino por quienes no han sabido moldearla... Ni siquiera hemos tenido, como nuestros hermanos anteriores, recuerdos ni el acontecer de la proximidad... Solo hemos tenido mitos, inmensos mitos que se nos han ido desinflando... Las últimas promociones están ya hartas de mitos, de generalizaciones abstractas y de falsos trascendentalismos... Hoy la verdadera revolución es decir la verdad.[7]

De la misma opinión eran algunos de los novelistas jóvenes que hoy se agrupan en los manuales de literatura bajo el epígrafe de «la generación del medio siglo», en cuya lista, junto a Jesús Fernández Santos, Ana María Matute, Ignacio Aldecoa, Sánchez Ferlosio, Goytisolo y otros, yo misma vengo incluida a veces.

En un artículo de 1955, Antonio Vilanova saludaba la aparición de *Juegos de manos,* de Juan Goytisolo, en términos encendidos, reconociendo como el principal mérito literario de la novela haber elegido el tema de «una juventud perdida, que ha renunciado a toda esperanza humana y a toda energía moral».[8]

Una crítica de estas características habría sido impensable diez años antes. Algo estaba cambiando. Los jóvenes reivindicaban su presente, su hoy concreto; luchaban por desvincularlo de las adherencias del pasado. Un año antes de las revueltas universitarias de 1956, escribía Sainz de Buruaga:

Si algo hay claro en la juventud española de ahora mismo, es su conciencia de tremenda actualidad, su realismo desnudo hacia el presente. Esto existe y tiene indudablemente sus peligros: nada menos que desarraigarse fieramente del pasado y exponerse a la intemperie sin raíz ninguna... En muchos jóvenes ha prendido efectiva fobia, antipatía y hasta desprecio del pasado inminente, precisamente porque se les ha insistido una y otra vez morbosamente sobre lo mismo. La reacción es natural: muchos jóvenes se han empachado de historia y prescinden de ella como de algo inútil. A fuerza de cómo y de qué insistieron sobre ellos, se ha conseguido que tomasen el pasado, incluso el más chorreante, el que casi todavía no es historia, como algo lejanísimo, desvinculado de su hoy concreto... Los jóvenes de 1955 no tenemos por qué ser idénticos a los de hace unos años. No tenemos por qué serlo, y la prueba rotunda es que no lo somos.[9]

A principios de la década de los sesenta, toda jovencita que se tildara de moderna devoraba la traducción española de un libro publicado en Francia en abril de 1949 por Simone de Beauvoir, la compañera de Jean-Paul Sartre. Se titulaba *El segundo sexo,* y la cosecha de su lectura coincidía con el auge de la música de los Beatles. Empezaba a proliferar el espécimen de la muchacha que iba a bailar a las boîtes, llegaba tarde a cenar, fumaba, hacía gala de un lenguaje crudo y desdolido, había dejado de usar faja, no estaba dispuesta a tener más de dos hijos y consideraba no solo una antigualla sino una falta de cordura llegar virgen al matrimonio.

El sexo hasta hace pocos años relativamente era tema tabú –escribiría López Aranguren– y se ha convertido ahora en obsesivo... La sexualidad ha sido convertida en un «market value» susceptible de intensa, omnipresente explotación: nuestra «sociedad de consumo» lo es, capitalmente, de consumo erótico.[10]

Pero esa es otra historia, también bastante enredosa y compleja: la de los usos amorosos de los años sesenta y setenta. Esperemos que alguien tenga la paciencia de reunir los materiales de archivo y de memoria suficientes para contárnosla bien algún día.

Terminé de redactar este trabajo
el día de Santa Lucía, abogada de la vista.
Concédenos, Señora, mientras dure
nuestro paso por este valle de lágrimas
y mudanzas, el privilegio de seguir mirando.

Madrid, 13 de diciembre de 1986

NOTAS

I. BENDITO ATRASO

1. Cit. por *Ecclesia,* 1 de marzo de 1941.

2. *Destino,* 9 de septiembre de 1939.

3. Pío XII, 16 de abril de 1939. Cit. por Santiago Petschen: *La Iglesia en la España de Franco,* Sedmay, 1977, p. 13.

4. *Antología de 40 años,* ed. Carlos Fernández, Libros de las Hespérides, 1983.

5. *Antología...* , *op. cit.,* p. 56.

6. *Franco ha dicho,* ed. Carlos Jaime, Madrid, 1947, p. 44.

7. *Ibídem,* p. 83.

8. *Antología...* , *op. cit.,* pp. 78 y 79.

9. Algunos le salieron respondones, como el cardenal Segura, pero ese es otro cuento que nos alejaría mucho del nuestro.

10. Boletín Oficial del Estado, 8 de marzo de 1938.

11. *Franco ha dicho, op. cit.,* 2 de abril de 1941, p. 43.

12. *El Español,* 11 de septiembre de 1943.

13. *Franco ha dicho, op. cit.,* p. 132.

14. *Medina,* 5 de junio de 1941.

15. Dionisio Ridruejo: *Hasta la fecha,* 1961. Cit. por *Historia y crítica de la literatura española,* ed. Crítica, tomo VII.

16. *Destino,* 9 de septiembre de 1939.

17. *Destino,* 5 de agosto de 1939.

18. Cit. por *Ecclesia,* 15 de octubre de 1941.

19. Agustín Isern, en *Y,* septiembre de 1943.

20. *Meridiano femenino,* enero de 1949.

21. «La primera dama de España», sin firma. En *Letras,* sept. 1950.

22. *Los Estados Unidos y España,* una interpretación de Carlton J. H. Hayes, Epesa, 1952, pp. 226-7.

23. Antonio Castro Villacañas, en *La Hora,* 14 de mayo de 1948.

24. Cit. por *La Hora,* 7 de diciembre de 1945, y rechazado como testimonio mendaz.

25. Augusto García Viñolas, en *Primer Plano,* 20 de octubre de 1940.

26. Julia Maura: *Estos son mis artículos*, Madrid, 1953, p. 58.

27. *Destino,* 30 de septiembre de 1939.

28. Bartolomé Barceló, en *El Español,* 12 de mayo de 1945.

29. Revista *Liceo,* 23 de diciembre de 1945.

30. *Semana,* 23 de diciembre de 1941.

31. Sebastián Juan Arbó, cit. en «Fuera de cuadro», *Primer Plano,* 27 de julio de 1941.

32. *Primer Plano,* Editorial, 20 de abril de 1941.

33. D. Fernández Barreira, en *Primer Plano,* 6 de julio de 1941.

34. *Triunfo,* 18 de octubre de 1950.

35. *Triunfo,* 31 de octubre de 1951.

36. A. G.ª Viñolas, *Primer Plano,* 17 de noviembre de 1940.

37. Alfonso Sánchez, «Trascendencia y misión de la hora española», en *Primer Plano,* 19 de octubre de 1941.

II. EN BUSCA DE COBIJO

1. *Letras,* «Consultorio sentimental», junio de 1949.

2. *Letras,* «Consultorio sentimental», julio de 1950.

3. *Triunfo,* 18 de octubre de 1950.

4. Andrés Revesz: «La sonrisa de la mujer», en *Semana,* 11 de noviembre de 1941.

5. *Mis chicas,* 28 de octubre de 1951.

6. Andrés Revesz: *La edad de amar,* Barcelona, 1952.

7. Enrique Bueu, en *Medina,* 27 de diciembre de 1942.

8. *Medina,* «Consúltame», 3 de septiembre de 1944.

9. Josefina Xaudaró: «Las feas con estilo», en *Destino,* 30 de diciembre de 1939.

10. *Chicas,* 24 de febrero de 1952.

11. *Medina,* «Consúltame», 13 de agosto de 1944.

12. *Medina,* «Consúltame», 24 de junio de 1945.

13. *Letras,* enero de 1951.

14. Carmen Bueu, «La mujer y la sociedad», en *Medina,* 1 de noviembre de 1942.

15. *La moralidad pública y su evolución* (edición reservada, destinada exclusivamente a las autoridades), Madrid, Imprenta Sáez, 1944, p. 75.

16. María Pilar Morales: *Mujeres,* Madrid, 1944, pp. 78-79.

17. *Medina,* 1 de noviembre de 1942.

18. Todas estas encuestas en *El Español,* 13 de marzo de 1943.

19. *La Hora,* 10 de diciembre de 1948.

20. Según reza una canción de Chicho Sánchez Ferlosio.

21. *Medina,* «Consúltame», 13 de junio de 1943.

22. *Meridiano femenino,* febrero de 1949.

23. Cit. por Daniel Sueiro y B. Díaz Nosty: *Historia del franquismo,* Sedmay, 1977, fascículo 22, p. 124.

24. Pío XII: «Discurso a los esposos», 3 de mayo de 1939, cit. por *Historia del franquismo, op. cit.,* fascículo 42, p. 240.

25. Vicente Gay: «La última conquista del feminismo», en *El Español,* 13 de marzo de 1943.

26. Marichu de la Mora: «La ilusión de ser arna de casa», en *Y,* junio de 1943.

III. EL LEGADO DE JOSÉ ANTONIO

1. Dionisio Ridruejo: *Casi unas memorias,* ed. Planeta, 1976, p. 103.

2. Dionisio Ridruejo, *op. cit.,* p. 52.

3. Cit. por *Medina,* 25 de abril de 1943.

4. Cit. por *Y,* febrero de 1944.

5. Cit. por *Y,* abril de 1944.

6. María Pilar Morales, *op. cit.,* pp. 55-56.

7. *Medina,* 31 de mayo de 1942.

8. *Idem,* 10 de julio de 1941.

9. *Ecclesia,* 15 de diciembre de 1941.

10. Pilar Primo de Rivera, «Discursos circulares y escritos», cit. en *Historia del franquismo, op. cit.,* fascículo 42, p. 235.

11. *Haz,* marzo de 1939.

12. Natacha Seseña, revista *Ozono,* agosto de 1977.

13. *Medina,* 17 de julio de 1941.

14. Pilar Primo de Rivera, prólogo a *Mujeres* de María Pilar Morales, *op. cit.*

15. *Medina,* 3 de abril de 1941.

16. Cit. por *Medina,* 25 de abril de 1943.

17. Américo Latino, en *Haz,* 24 de junio de 1941.

18. *Medina,* «Consúltame», 23 de enero de 1944.

19. Josep Pla, «Calendario sin fechas», en *Destino,* 8 de junio de 1946.

20. No todas las opiniones fueron tan reaccionarias en esta polémica suscitada por Pla y que se prolongó en las páginas de dicha revista hasta el 19 de octubre de 1946.

21. *Medina,* 5 de octubre de 1941.

22. *Semana,* 19 de marzo de 1940.

23. José Juanes, *Medina,* 9 de mayo de 1943.

24. Primer Consejo Nacional del S.E.M. (Servicio Español de Magisterio), Afrodisio Aguado, Madrid, febrero de 1943 , p. 72.

25. *Chicas,* 1 de octubre de 1950.

26. Carmen Werner, «Diario de una estudiante», en *Medina,* 1 de noviembre de 1942.

27. Cit. por *Medina,* 16 de enero de 1944.

28. *Meridiano femenino,* 1 de octubre de 1948.

29. *El Español,* 30 de octubre de 1943.

30. Editorial de *Medina,* 20 de marzo de 1941.

IV. LA OTRA CARA DE LA MONEDA

1. Cit. por Marcelo Arroita Jaúregui, en *Alcalá,* 25 de febrero de 1955, rebatiendo tal afirmación, al comprobar, catorce años más tarde, la ofensiva que supuso *La Codorniz.*

2. Andrés Flores, *El Español,* 7 de octubre de 1944 .

3. Antonio Carro Muntaner, *El Español,* 12 de mayo de 1945.

4. Ver Evarisro Acevedo, *Los españolitos y el humor,* ed. Nacional, 1972.

5. *El Ciervo,* junio de 1956.

6. *La Codorniz,* 11 de febrero de 1945.

7. *Cucú,* 14 de mayo de 1944.

8. Ver Carmen Martín Gaite, *Usos amorosos del dieciocho en España,* ed. Siglo XXI, 1972, pp. 42-43.

9. El Conde de Pepe, *La Codorniz,* 4 de abril de 1943.

10. José Luis Duarte, «Actualismo de una juventud anárquica», *El Español,* 16 de febrero de 1946.

11. *La Hora,* 1 de marzo de 1947.

12. Gonzalo Anaya, *El Español,* 3 de junio de 1944 .

13. Pedro Laín Entralgo, *Primer Plano,* 18 de mayo de 1941.

14. *Haz,* «Pantalla subversiva», julio de 1940.

15. *La Codorniz,* «Ellas hablan de sus cosas», 25 de marzo de 1945.

16. *Haz,* «Pantalla subversiva», julio de 1940.

17. José Vicente Puente, *Una chica topolino,* ed. Afrodisio Aguado, Madrid 1945, edición sin paginar, cap. 7.

18. *Medina,* «Diario de una estudiante», 1 de noviembre de 1942.

19. Rafael Abella, *La vida cotidiana en España bajo el régimen de Franco,* ed. Argos Vergara, Barcelona, 1985, p. 95.

20. El Conde de Pepe, *La Codorniz,* 4 de abril de 1943.

21. *Y,* agosto de 1945.

22. José Luis Duarte , *El Español,* 16 de febrero de 1946.

23. *Medina,* 29 de noviembre de 1942 , 11 de abril de 1943 y 13 de diciembre de 1942.

24. *Cucú,* 21 de mayo de 1944.

25. María Pilar Morales, *op. cit.,* p. 102.

26. *Mis chicas,* «No le comprendo», 1 de abril de 1951.

27. José Vicente Puente, *op. cit.,* capítulo 19.

V. ENTRE SANTA Y SANTO, PARED DE CAL Y CANTO

1. Josefina R. Aldecoa, *Los niños de la guerra,* ed. Anaya, 1983, pp. 12 y 17.

2. Para ampliar este tema de la coeducación, ver A. Ferrándiz y V. Verdú, *Noviazgo y matrimonio en la burguesía española,* Ed. Cuadernos para el diálogo, Madrid, 1974, pp. 51 y ss.

3. *La moralidad pública y su evolución* (Edición reservada, destinada exclusivamente a las autoridades), Madrid, 1944, p. 315.

4. *Op. cit.,* p. 135.

5. *Op. cit.,* p. 319.

6. *Op. cit.,* p. 321.

7. *Op. cit.,* p. 320.

8. *Op. cit.,* pp. 322-323.

9. *Op. cit.,* p. 291.

10. *Op. cit.,* p. 314.

11. F. Casamajó, en *El Ciervo,* 18 de mayo de 1952.

12. J. M. Barjau, *El Ciervo,* febrero de 1956.

13. Gaspar G. de la Serna, en *El Español,* 26 de agosto de 1944.

14. Carlos Barral, *Años de penitencia,* Alianza Editorial, Madrid, 1975, p. 165.

15. Para ampliar este tema, ver Juan Antonio Ramírez: «Grupos temáticos del tebeo de aventuras en la España de la postguerra» y «Estructura e ideología del tebeo de aventuras», en *Cuadernos de realidades sociales,* n.º 8, 1975 y n.º 13, 1977.

16. *Medina,* «Consúltame», 15 de febrero de 1942.

17. *Ecclesia,* 15 de diciembre de 1941.

18. «La moralidad...», *op. cit.,* p. 212.

19. *Op. cit.,* p. 210.

20. *Op. cit.,* p. 218.

21. *Op. cit.,* p. 18.

22. *Op. cit.,* p. 18.

23. *Op. cit.,* pp. 83-84.

24. Carlos Barral, *op. cit.,* pp. 110 y 128.

25. Mariano Merle, en *El Ciervo,* noviembre de 1953.

26. *Medina,* «Consúltame», 29 de octubre de 1944.

27. Juan Goytisolo, *Juegos de manos,* ed. Destino, Barcelona, 1954, p. 85.

28. José Juanes, *Medina,* 6 de diciembre de 1942.

29. *Senda,* mayo-junio de 1941.

30. Ángel Fontanet, *El Ciervo,* junio de 1954.

31. Juan Gomis, *El Ciervo,* febrero de 1957.

32. «Antoñita la fantástica», en *Mis chicas,* 4 de noviembre de 1948.

33. *Medina,* «Consúltame», 25 de octubre de 1942.

34. *Letras,* «Consultorio Sentimental», mayo de 1949.

35. Nicolás González Ruiz, «Su hijo se va», en *Letras,* julio de 1950.

36. *Letras,* «Consultorio sentimental», enero de 1949.

37. Ángeles Villana: *Una mujer fea,* ed. Colenda, Madrid, 1954, p. 157.

38. *Medina,* «Consúltame», 18 de marzo de 1945.

39. *Letras,* «El defecto de ser hombre», enero de 1949.

VI. EL ARREGLO A HURTADILLAS

1. María del Pilar Morales, *op. cit.,* p. 51.

2. Esperanza Ruiz Crespo, en *Letras,* mayo de 1951.

3. María del Pilar Morales, *op. cit.,* pp. 116 y 117.

4. Esperanza Ruiz Crespo, «La cigüeña y su donativo», en *Letras,* marzo de 1950.

5. *Medina,* 9 de enero de 1944.

6. Eugenia Serrano, *El Español,* 2 de noviembre de 1946.

7. *Medina,* «Consúltame», 2 de julio de 1944.

8. *Letras,* mayo de 1950.

9. *Y,* febrero de 1945.

10. Ver *El Español,* 22 de agosto de 1953.

11. *Liceo,* noviembre de 1950.

12. *Liceo,* septiembre de 1945.

13. *Y,* febrero de 1945.

14. *Semana,* 21 de mayo de 1940.

15. *El Español,* 22 de marzo de 1947.

16. *Destino,* «Calendario sin fechas», 8 de junio de 1946.

17. Cit. por «Historia del franquismo», *op. cit.,* fasc. 22, p. 137.

18. Daniel Vega: *Valores espirituales en quiebra,* ed. Studium, Madrid, 1952, pp. 31 y 32.

19. *Medina,* 15 de marzo de 1942.

20. *Dígame,* 16 de abril de 1940.

21. *Chicas,* 20 de enero de 1952.

22. *Medina,* 15 de marzo de 1942.

23. *Chicas,* 3 de septiembre de 1950.

24. *Medina,* 1 de abril de 1945.

25. *Cucú,* 30 de abril de 1944.

26. María del Pilar Morales, *op. cit.,* p. 83.

27. *Letras,* «Pequeña historia de una boda», mayo de 1950.

28. *Destino,* 14 de febrero de 1948.

29. *Destino,* 13 de diciembre de 1947.

30. *Chicas,* 17 de julio de 1950.

31. *Y,* marzo de 1943.

VII. NUBES DE COLOR DE ROSA

1. *Letras* «Consultorio sentimental», junio de 1950.

2. *Una niña topolino, op. cit.,* cap. 5.

3. *Medina,* «Consúltame», 27 de febrero de 1947.

4. *Chicas,* 27 de enero de 1952.

5. Juan Goytisolo, *Juegos de manos,* Destino, 1954, p. 57.

6. José Antonio Ramírez, *El Cómic..., op cit.,* p. 58.

7. *Chicas,* 9 y 16 de julio de 1950.

8. *Letras,* febrero de 195 l.

9. *Senda,* diciembre de 1941.

10. *Medina,* 13 de septiembre de 1942.

11. Ver Carmen Martín Gaite: «Las mujeres noveleras», en *El cuento de nunca acabar,* Trieste, 1983, p. 79.

12. E. Jardiel Poncela: *Amor se escribe sin hache,* Biblioteca Nueva, 1929, p. 17.

13. *Medina,* 31 de mayo de 1942.

14. Julia Maura, *La Estafeta literaria,* 5 de marzo de 1944 .

15. *La Estafeta literaria,* 5 de marzo de 1944. Para ampliar este tema de la novela rosa, ver Carmen Martín Gaite: «La chica rara», en *Desde la ventana* (en prensa), Espasa mañana, 1987.

16. *La Estafeta literaria,* 15 de marzo de 1945.

17. *El Español,* 17 de junio de 1944.

18. «El bibliófilo y la lectora», en *El Español,* 14 de abril de 1945.

19. *Medina,* 1 de mayo de 1941.

20. *Medina,* 15 de noviembre de 1942.

21. Emilio Romero: «Los jóvenes y los viejos», en *El Español,* 25 de septiembre de 1943.

22. *Medina,* 10 de julio de 1941.

23. Elena Carena, en *Haz,* 25 de marzo de 1941.

24. *Medina,* 10 de julio de 1941.

25. María Pilar Morales, *op. cit.,* p. 63.

26. María Luisa Valdefrancos, «La realidad del amor», en *Chicas,* 30 de julio de 1950.

27. *Medina,* «Consúltame», 6 de diciembre de 1942.

28. *Medina,* «Consúltame», 16 de abril de 1944.

29. María Molero, «El defecto de ser hombre», en *Letras,* enero de 1949.

30. *Semana,* 23 de septiembre de 1941.

31. *Chicas,* 23 de marzo de 1952.

32. *Y,* enero de 1943.

33. *Medina,* 15 de noviembre de 1942.

34. *Letras,* «Consultorio sentimental», septiembre de 1950.

VIII. EL TIRA Y AFLOJA

1. *Medina,* 2 de mayo de 1943. (La cita final, según se indica a pie de página, está tomada del «Tratado de la perfecta novia», de Sánchez Rojas.)

2. *Medina, id., id.*

3. *Medina,* «Consúltame», 1 de noviembre de 1942.

4. *Cucú,* «Consultorio sentimental», 21 de mayo de 1944.

5. *Letras,* «Consultorio sentimental», julio de 1949.

6. *Medina,* «Consúltame», 6 de junio de 1945.

7. *Medina,* «Consúltame», 1 de abril de 1945.

8. *Medina,* «Consúltame», 4 de abril de 1943.

9. *Medina,* «Consúltame», 15 de octubre de 1944.

10. *Medina,* «Consúltame», 9 de abril de 1944.

11. *Medina,* «Consúltame», 2 de abril de 1944.

12. *Medina,* «Consúltame», 31 de enero de 1943.

13. *Medina,* «Consúltame», 18 de marzo de 1945.

14. *Medina,* «Consúltame», 12 de marzo de 1944.

15. Ver *supra,* cap. V, pp. 94 y ss.

16. *Medina,* «Consúltame», 9 de abril de 1944.

17. Eugenia Serrano, *El Español,* 25 de enero de 1957.

18. Miguel Delibes, *Cinco horas con Mario,* Destino, 1966, pp. 130-131.

19. J. L. de Auria, «Las cartas femeninas», en *Letras,* marzo de 1951.

20. *Letras,* «Consultorio sentimental», septiembre de 1949.

21. *Letras,* «Consultorio sentimental», marzo de 1949.

22. *Medina,* «Consúltame», 25 de octubre de 1942.

23. *Letras,* «Consultorio sentimental», julio de 1950.

24. *Medina,* «Consúltame», 31 de mayo de 1942.

25. *Medina,* «Consúltame», 10 de junio de 1945.

26. *Medina,* «Consúltame», 15 y 22 de noviembre de 1942.

IX. CADA COSA A SU TIEMPO

1. *Letras,* «Consultorio sentimental», abril de 1950.

2. *Medina,* «Consúltame», 20 de marzo de 1944.

3. *Chicas,* 30 de marzo de 1952.

4. *Medina,* «Consúltame», 18 de octubre de 1942.

5. *Medina,* «Consúltame», 28 de junio de 1942.

6. *Letras,* «Consultorio sentimental», enero de 1950.

7. *Medina,* «Consúltame», 26 de marzo de 1944.

8. *Liceo,* «Consultorio sentimental», noviembre de 1950.

9. *Mis chicas,* 11 de marzo de 1951.

10. *Letras,* «Consultorio sentimental», octubre de 1949.

11. *Medina,* «Consúltame», 1 de febrero de 1942.

12. *Letras,* «Consultorio sentimental», abril de 1951.

13. *Letras,* «Consultorio sentimental», octubre de 1950.

14. *Medina,* «Consúltame», 18 de octubre de 1942.

15. *Letras,* enero de 1951, p. 45.

16. Carlos Barral: *Años de penitencia, op. cit.,* pp. 178 y ss.

17. *Mis chicas,* 14 de enero de 1951.

18. *La Codorniz,* 2 de noviembre de 1941.

19. Miguel Delibes: *Cinco horas... , op cit.,* pp. 127-28.

20. *Medina,* «Consúltame», 4 de octubre de 1942.

21. *Medina,* 13 de febrero de 1944.

22. *Medina,* «Consúltame», 12 de marzo de 1944.

23. *Medina,* «Consúltame», 12 de noviembre de 1944.

24. *Letras,* «Consultorio sentimental», julio de 1950.

25. *Letras,* «Consultorio sentimental», junio de 1949.

26. *Medina,* «Consúltame», 2 de abril de 1944.

27. *Letras,* «Consultorio sentimental», febrero de 1949.

28. *Medina,* «Consúltame», 17 de enero de 1943.

29. *Medina,* «Consúltame», 6 de agosto de 1944.

30. *Medina,* «Consúltame», 8 de noviembre de 1942.

31. «Solo para hombres», en *La Codorniz,* 16 de mayo de 1943.

32. *Medina,* «Consúltame», 25 de octubre de 1942.

33. Isaac de Paula, en *El Español,* 12 de agosto de 1947.

34. *Medina,* «Consúltame», 16 de enero de 1944.

35. *La moral pública...*, *op. cit.,* p. 83.

36. *Ibidem,* p. 44.

37. *Ibidem,* p. 43.

38. *Letras,* «Consultorio sentimental», enero de 1950.

39. *Medina,* «Consúltame», 7 de febrero de 1943.

40. *Medina,* «Consúltame», 17 de septiembre de 1944.

41. *Letras,* «Consultorio sentimental», diciembre de 1950.

42. *Liceo,* diciembre de 1950.

43. *Letras,* «Consultorio sentimental», mayo de 1951.

44. *Medina,* «Consúltame», 24 de junio de 1945.

45. *Una niña topolino, op. cit.,* capítulo VII.

46. *Medina,* 12 de abril de 1942.

47. Hans Wirtz: *Del eros al matrimonio,* ed. Strudium, 1962, 5.ª edición, p. 13.

48. Ángel Fontanet, en *El Ciervo,* junio de 1944.

49. *Medina,* «Consúltame», 29 de octubre de 1944.

EPÍLOGO PROVISIONAL

1. *El Ciervo,* febrero de 1956.

2. *El Ciervo,* junio de 1957.

3. *El Ciervo,* mayo de 1957.

4. Juan Carlos Villacorta, en *La Hora,* 30 de enero de 1948.

5. Gumersindo Salas, en *Alcalá,* 10 de abril de 1954.

6. Ángel M.ª Pascual, en *Alcalá,* junio de 1952.

7. G. Sainz de Buruaga, en *Alcalá,* 25 de enero de 1955.

8. *Destino,* 26 de febrero de 1955.

9. G. Sainz de Buruaga: «Algo más sobre la juventud española», en *Alcalá,* 10 de marzo de 1955.

10. J. L López Aranguren: *La crisis del catolicismo,* Alianza Editorial, 1965, p. 54.

ÍNDICE